SHIN HIGH SCHOOL
D×D

진
하이스쿨
D♡×D♡

신학기의 웰시 드래곤

[1]

이시부미 이치에이 지음
미야마 제로 일러스트
이승원 옮김

표지 · 본문 일러스트
미야마 제로

목차

이 사람의 갑옷과 똑같은 색깔이다——.

내 손을 물들인 선혈을 보며, 문득 그런 생각을 했다.
붉은—— 라즈베리보다 선명한 붉은색을 띤 갑옷.
그렇다. 저 사람의 아름다운 붉은 용 갑옷은, 내 손을 물들인
피와 같은 색——.

Life.0

효도 잇세이—— 내 이름이다. 부모님, 애인들, 그리고 같은 학교 녀석들은 나를 '잇세, 잇세' 하고 부른다.

청춘을 만끽하면서도, 진로를 고민하는 고3이다.

나는 쿠오우 학원이라는 사립 고등학교를 다니고 있다.

알지도 못하는 후배가 '저 사람이 그 잇세 선배 맞지?' 같은 말을 할 때도 있지만, 나는 내 이름이 후배들에게 얼마나 많이 알려졌는지 모른다.

뭐, 지금 생각해 보면 쿠오우 학원에 입학한 직후부터 엉큼한 걸로 유명했던 것 같다.

여자 검도부 부실을 훔쳐본 적도 있습니다. 젊은 날의 치기죠.

절친인 마츠다, 모토하마와 엉큼한 짓을 하며 다니다 보니 그런 소문이 아직도 교내에 남아 있는 것 같다. 이대로 가다간 졸업할 때까지…… 아니, 졸업 후에도 내 소문이 학교에 남아 있겠는걸…….

——아무튼 이런 이야기는 그만하고, 내 정체부터 밝히기로 하겠다.

사실 나는 악마다.

이봐, 진짜야. 믿어 줘.

전설이나 만화에 나오는 '바로 그 악마'다. 마방진으로 불러낼 수 있고, 자신을 소환한 자의 소원을 들어주는 그 대가로 영혼을 가져가는……. 아, 요즘은 영혼까지 요구하지는 악마는 드물지만 말이야.

1년 전, 봄—— 인간이었던 나는 죽었다.

바로 그때, 악마 중에서도 귀족 계급인 상급 악마—— 그레모리 가문의 차기 당주, 리아스 그레모리와 만났다.

그녀가 『이블 피스』를 준 덕분에 나는 악마로 다시 태어났고, 『전생악마』로서 두 번째 인생(?)을 살게 됐다.

열일곱 살에 두 번째 인생을 사는 것도 꽤 힘든 삶일지도 모르지만, 나는 의외로 간단히 받아들였다. 그리고 상급 악마로 올라가기 위해 열심히 악마 영업을 하기 시작했다!

왜 상급 악마가 되려는 거냐고?

왜긴! 상급 악마는 하렘을 만들 수 있단 말이야!

미소녀들을 내 권속으로 만들어서, 나만의 하렘을 만들어 주겠어!

——그런 엉큼한 마음에 따라 열심히 살기 시작한 후로 1년이 넘게 흘렀다.

자아, 지금의 내가 어쩌고 있냐면——.

"하아~ 진짜 끝이 없네……."

책상 앞에 앉아서 한숨을 내쉬며, 산더미처럼 쌓인 서류와 씨름 중이다.

"잇세 님. 사사키 씨의 의뢰 말인데요——."

——내 권속이자 『비숍』인 레이벨 피닉스가 업무 관련 보고를 했다.

금발 롤 헤어의 미소녀 악마! 내 전속 매니저이자, 권속 악마이기도 했다.

"잇세. 모리사와 씨한테서 연락이——."

다음으로 보고를 한 이는 보이시한 분위기를 지닌 제노비아 콰르타다. 마찬가지로 내 권속 악마이자 『나이트』다.

"의뢰했던 회사에서 새 디자인 전단지 샘플이 왔어요."

세 번째로 보고를 한 이는 아름다운 긴 은발 미녀—— 로스바이세 씨다. 전직 발키리이자, 내 권속 악마——『룩』이다.

나는 보고를 들은 후, 차례차례 지시를 내렸다.

"사사키 씨에게는 이렇게 하기로 하고, 모리사와 씨에게는 내가 나중에 연락할게. 그리고 새 전단지도 한 시간 후의 미팅 때 확인하겠어."

지시를 내린 후——.

"잇세 씨! 보수를 받았는데…… 너무 많아요! 으으!"

실내에 설치된 마방진을 통해 귀환한 금발 미소녀—— 아시아 아르젠토(내 권속이자 『비숍』이며 녹색 눈동자가 참 사랑스럽다!)는 대량의 짐을 가지고 돌아왔는데…… 그 짐이 당장에라도 쏟아질 것 같았기에…….

""우와앗!""

옆에 있던 이들이 허둥지둥 짐을 받아 줬다.

이게 내 현재 상황이다. 사실 나는 이 사무소에서 독자적으로 '악마 영업'을 시작했다.

그렇다! 현재 나는 상급 악마로 승격한 것이다! 주인인 리아스에게서 독립해서, 나만의 일을 시작했다.

동경하던 상급 악마가 된 것이다! 권속 또한 아시아, 제노비아, 로스바이세 씨, 레이벨…… 하나같이 미녀 혹은 미소녀다!

그렇게 꿈꿔 왔던 하렘……을 달성했지만, 나는 아직 하렘 생활을 만끽하지 못했다. 그리고 우리를 위해 개설된 '효도 잇세이 권속 사무소'에서 매일같이 일과 악전고투하고 있다——.

2학년 봄부터 시작된 내 악마 인생은 그 후로 약 1년 반 동안 계속되었고, 나는 고등학생이 되어 세 번째 2학기를 맞이했다.

"차 드세요."

"고마워."

일이 일단락되었을 즈음, 나는 레이벨이 준 차를 마시며 한숨 돌렸다.

나는 차를 마시며 문뜩 생각했다.

이 1년 반 동안 있었던 일을——.

타천사였던 전 여친에게 살해당하고 그레모리 권속으로서 악마로 전생한 나는 동료들과 끈끈한 관계를 맺었다. 그리고 때로는 악마의 경기인 『레이팅 게임』에서 라이벌들과 경쟁했고, 때로는 흉악한 테러리스트와도 싸웠다.

사악한 적과 싸우면서 몇 번이나 죽을 뻔했지만(사실 육체를 한 번 잃기도 했다), 공적을 쌓은 나는 중급 악마로 승급했으며, 드디어 상급 악마가 되었다.

　물론 그 과정에서 잃은 것 또한 적지 않다.

　내가 여기까지 올 수 있도록 도와준 은인들과도 한동안 작별하게 됐다.

　하지만 나는 봄에 『이블 피스』를 마왕 바알제붑 님에게서 받았다. 그리고 리아스, 레이벨의 어머니와 트레이드를 해서 나만의 권속을 가지게 됐다(아시아, 제노비아, 로스바이세 씨는 원래 리아스의 권속이었다).

　『이블 피스』는 인간계의 체스에서 따온 것이며, 『퀸』×1, 『룩』×2, 『나이트』×2, 『비숍』×2, 『폰』×8로 구성된다. 『킹』은 주인 본인이며, 그 주인은 권속 악마로 삼고 싶은 자를 그 장기말을 이용해 전생악마로 만들 수 있다.

　장기말은 제각각의 특성을 지녔지만…… 언젠가 이야기할 기회가 있을 것이다.

　──그리고, 나는 리아스 그레모리의 『폰』이다. 게다가 『폰』의 장기말 여덟 개를 전부 소비해야 하는 존재였다. 대상자의 재능과 몸에 잠들어 있는 힘에 따라, 소비해야 하는 장기말의 개수도 달라지는 것이다.

　이렇게 독립을 한 후에도 나는 리아스의 『폰』이기 때문에, 상급 악마가 되었다고 해도 리아스의 권속이라는 사실에는 변함이 없다.

——그럼 『이블 피스』에 관한 이야기는 이쯤에서 마치겠다. 아무튼 이 사무소는 『효도 잇세이 권속 사무소』다.

　나의, 그리고 『효도 잇세이 권속』이 일을 하는 장소다.

　상급 악마가 되어서 리아스로부터 독립한 나는 자신만의 사무소를 개설했고, 권속들과 함께 '악마 영업'을 시작했다.

　'악마 영업'이란, 악마를 소환한 인간의 소망을 이뤄주고 그 대가를 받아가는 것을 말한다.

　하지만 현대 사회에서는 마방진을 그려서 악마를 소환할 수 있는 인간이 많지 않다. 그래서 악마는 욕심이 많아 보이는 인간에게 소환용 마방진이 그려진 전단지를 길거리에서 나눠주고 있다.

　옛날에는 악마가 영혼을 요구하거나, 인간 측에서 영혼을 제공하는 경우도 있었다지만, 요즘에는 그렇게까지 하는 인간이 흔하지 않다. 보통 돈이나 물건을 받고 소원을 들어준다.

　미리 말해두겠는데, 야한 의뢰는 받지 않는다! 내 자랑스러운 권속들은 하나같이 귀엽다. 그래서 의뢰자가 누구일지라도, 그런 의뢰는 절대 받지 않는다.

　뭐, 야한 의뢰를 전문으로 처리하는 악마가 있으니, 그레모리 일파인 우리와는 인연이 없는 이야기였다.

　……뭐, 내가 의뢰를 하는 입장이라면 야한 소원을 빌 것 같지만…… 그건 그거, 이건 이거다! 귀여운 권속들은 전부 내 소중한 존재들이다! 다른 녀석들이 손가락 하나 건드리는 것도 허락할 수 없다!

아무튼, '악마 영업'을 독립해서 하다 보니 처음 접하는 일이 너무 많았다. 그래서 개점 이후로 다들 이리저리 허둥댔지만, 그래도 어찌어찌 경영해 나가고 있었다.

　리아스 밑에서 일을 하던 시절부터 단골이었던 손님도 그대로 이어받았다. 그리고 새로운 손님 개척 또한 차근차근 진행하고 있었다.

　나는 내 어깨를 주물렀다. ……동경하던 상급 악마가 되고 보니, 말단 시절과는 비교도 안 될 만큼 할 일이 많았다. 자전거를 타고 손님을 찾아가는 것만이 아니라, 서류 정리와 차후의 스케줄도 확인해야 하며, 앞으로의 운영도 생각해야만 했다.

　오늘 업무가 끝난 우리는 서류 정리를 하면서 다음 일 준비에 착수했다.

　바로 그때, 레이벨이 나에게 말을 건넸다.

　"잇세 님, 이쯤에서 오늘 일을 마무리하지 않으면, 내일 스케줄에 영향이 생길 거예요."

　로스바이세 씨도 뒤이어 입을 열었다.

　"맞아요. 내일은 정말 중요한 날이잖아요."

　제노비아와 아시아 또한 말했다.

　"그래. 잇세와 마스터 리아스의 약혼 기자회견이 있잖아. 정말 기대되는걸. 아시아도 그렇지?"

　"예. 저도 그래요."

　그렇다. 내일은——약혼 기자회견 날이다!

　나는 올해 봄에 주인이자 현재 연인이기도 한 리아스에게 프러포즈를 했다.

리아스는 명계의── 그레모리령의 공주님이기도 하기에, 그쪽에서는 엄청난 유명인이다. 그런 그녀에게 피앙세가 생겼으니, 명계가 시끌벅적해지는 것도 무리는 아니다.

예전부터 명계의 각 매스컴에서 약혼의 경위를 알려줬으면 한다는 타진이 들어왔는데, 리아스는 귀족이자 차기 당주이기도 하기 때문에 일반 악마들에게 그런 부분을 공식적으로 알려야만 한다.

그래서 피앙세인 나도 함께 회견을 하게 된 것이다.

나는 쓴웃음을 지으며 볼을 긁적였다.

"으음~ 영광이기는 하지만 마음이 무겁기는 해. 그래도 할 수밖에 없겠지."

나는 차를 한 모금 마신 후, 호흡을 가다듬으면서 마음을 다잡았다.

악마가 되고, 약 1년 반──.

하렘왕이 된다는 꿈을 이루는 순간이── 코앞까지 다가온 것도 같지만…… 왠지 멀게도 느껴졌다.

뭐, 무슨 일이 일어나든 그저 우직하게 나아갈 뿐이다.

그게 바로 나, 효도 잇세이라는 녀석이니까 말이다.

Life.1 상급 악마, 효도 잇세이입니다.

다음 날——.

학교 휴일을 이용해 우리는 악마의 세계—— 명계에 왔다.

명계는 인간계와 다른 세계이며 넓이는 비슷하지만, 바다가 없고 광대한 육지가 펼쳐져 있다.

명계는 과거에 악마와 타천사(나쁜 감정을 품은 탓에 타락하고 만 천사)가 나눠서 지배하고 있었다.

하지만 작년에 천사를 비롯한 3대 세력이 화평을 맺으면서 지금은 서로가 교류하기 시작했고, 국경선 주위의 긴장감은 없어졌다 해도 과언이 아니다.

우리는 악마 측에 속한 지역인 그레모리령에 와 있었다. 상급 악마 그레모리 가문이 영주가 되어 다스리고 있는 영토다.

그 영토 내 가장 호화로운 호텔에서, 약혼 기자회견이 열렸다.

회견용으로 준비된 홀에는 명계 각지에서 온 보도진이 모여 있으며, 회견석에 앉은 나와—— 옆에 앉아 있는 아리따운 처녀, 리아스 그레모리를 향해 쉴 새 없이 플래시를 터뜨리고 있었다.

리아스는 붉은색을 띤 아름다운 장발, 그리고 기품이 어린 푸른색 눈동자를 지닌 여성이다! 두뇌 명석! 악마의 힘—— 마력 또한 뛰어난, 그야말로 문무를 겸비한 수재다! 게다가 몸매도 끝내줄 뿐만 아니라, 가슴도 크다!

그렇다. 내 옆에 앉아있는 이 미소녀가 바로 내 주인이자 연인이기도 한, 그레모리 공작 가문 차기 당주—— 리아스 그레모리다.

쿠오우 학원 고등부를 올해 봄에 졸업했으며, 지금은 대학생이다. 물론 오컬트 연구부도 은퇴했으며, 부장의 자리도 아시아에게 물려줬다.

나와 리아스가 이 기자회견을 통해, 수많은 보도진에게 알리고 싶은 건——.

"그럼 옆에 있는 그, 효도 잇세이와 저, 리아스 그레모리가 약혼했음을 이 자리에서 알려드립니다."

리아스는 회견이 시작되자마자, 가벼운 인사를 꺼내면서 바로 약혼을 발표했다.

그 순간, 나와 리아스를 향해 아까보다 더한 플래시 세례가 쏟아졌다.

이것은 나와 리아스가 정식으로 약혼했다는 것을 공식적으로 알리는 회견인 만큼, 리아스의 뒤를 이어 나도——.

"방금 소개된…… 아, 저에 대해서는 이미 여러분도 잘 알고 계실 거라고 생각합니다만——."

나는 그런 식으로 입을 뗀 후, "리아스 그레모리 양과 약혼했습니다."라고 말했다.

리아스는 상급 악마 영애이고, 오빠가 마왕 루시퍼라서 명계에서는 엄청난 유명인이다.

　권속 악마였던 나는 지금까지 악마와 다른 세력에 해를 끼치던 테러리스트 조직——『카오스 브리게이드』와 싸워 왔으며, 그 공적은 명계뿐만 아니라 다른 신화체계에도 알려져 있다.

　내 몸에 깃든 전설의 드래곤——『웰시 드래곤』 적룡제 드래이그의 힘 때문에, 좋든 싫든 주목을 받게 되었던 것이다.

　……그리고 그것보다 나를 더 유명하게 만들어준 건…….

　기자의 질문이 시작되었을 때였다. 첫 기자가 질문을 던졌다.

　"명계의 유명인인 찌찌드래곤, 효도 잇세이 씨에게 질문이 있습니다. 자신의 주인인 스위치 공주, 리아스 그레모리 씨와 사랑에 빠지게 된 계기를——."

　——찌찌드래곤, 스위치 공주.

　이런 이상한 단어에 대해 설명하자면……. '찌찌드래곤'이란 명계에서 방송되고 있는 특수촬영 히어로물이며, 정식 명칭은 '젖룡제 찌찌드래곤'이다.

　내가 툭하면 '찌찌! 찌찌!' 하고 외쳐대고, 또한 그 찌찌로 이상한 파워업을 거듭했기 때문인지, 어느새 '찌찌드래곤'이라 불리게 되면서 방송까지 만들어졌다.

　덕분에 나는 명계 어린이들 사이에서 유명해졌다.

　리아스가 '스위치 공주'라 불리는 건 내가 찌찌로 파워업을 한다는 계기가 됐기 때문이다. 리아스의 찌찌를…… 주무르거나, 찔러 보고, 나는 파워업을 했다.

……뚱딴지같은 소리로 들릴지도 모르지만, 나는 그런 식으로 몇 번이나 궁지에서 벗어났고, 또한 강해졌다!

내가 찌찌를 지나치게 추구한 결과, 찌찌에 반응하면서 성장하게 된 것도 같은데…….

아무튼, 나와 리아스는 그런 경위로 명계뿐만 아니라 다른 신화 세력에서도 유명인이 되었다.

뭐, 그런 두 사람이 약혼하니 이 회견이 엄청난 주목을 받는 것도 무리가 아니다.

나는 기자의 질문에 답하면서 그런 생각을 했다.

하지만, 그 후에도 기자의 질문은 계속 이어졌다.

"결혼은 리아스 공주님께서 대학을 졸업한 후에 바로 할 거라는 소문이 있습니다만, 그게 사실인가요?"

"효도 씨! 프러포즈 대사를 알려주십시오! 다른 여성분에게 효도 씨가 시합 중에 프러포즈를 한 건 유명합니다만, 리아스 공주님에게 어떤 식으로 프러포즈를 했는지는 아직 알려지지 않았습니다! 그러니 이 자리에서 알려주시죠!"

"효도 씨는 약혼한 여성이 더 있는 걸로 알려져 있습니다만, 그분들과의 결혼 일정도 정해져 있습니까?"

"리아스 공주님, 약혼한 여성들의 서열은 어떻게 됩니까?"

"피닉스 가문의 레이벨 공주님과 약혼을 할지도 모른다는 소문이 있습니다만, 그게 사실입니까?"

"결혼 후에는 명계에 머물 겁니까? 아니면 효도 씨의 본가가 있는 인간계에서 지내실 예정입니까?"

나와 리아스는 '그건 말이죠. 사실——', '그 질문에는 아직 답변을 드릴 수 없답니다' 같은 식으로 미리 준비해 둔 답변을 입에 담았다.

하지만 모든 질문에 답할 수도 없었기에, 적당한 타이밍을 봐서 사회자에게 눈짓을 보냈다.

『그럼 기자회견은 이쯤에서 마치도록 하겠습니다.』

사회자가 그렇게 말한 후, 자리에서 일어난 나와 리아스는 기자회견장을 벗어났다.

"효도 씨!"

"리아스 공주님!"

뒤편에서는 여전히 플래시 세례와 질문공세가 쏟아졌다.

공주님과의 약혼이라 그런지, 고생이 이만저만 아니네…….

그런 느낌이 들었지만, 통로로 이동한 후에 회견장의 문이 닫히고 한숨 돌렸을 때, 문득 리아스와 시선이 마주쳤다.

"하하하."

"후후후."

긴장이 풀린 건지, 우리는 웃음을 터뜨리고 말았다.

이렇게, 기자회견은 무사히 끝났다.

참고로, 질문 중 하나였던 프러포즈 대사 말인데…….

역시 부끄러우니까, 떠올리지 않기로 했다!

나와 리아스가 대기실로 돌아가자, 동료들이 우리를 맞이해

줬다.

나는 의자에 털썩 주저앉으면서, 축 늘어졌다.

"아~ 드디어 끝났네……. 이런 건 진짜 피곤해."

"수고했어요."

레이벨이 나에게 차를 내줬다.

이야~ 내 매니저는 진짜 눈치가 빠르다니깐.

리아스는 쓴웃음을 지으며 말했다.

"어쩔 수 없어. 나는 명문 그레모리의 차기 당주야. 그리고 너는 명계의 슈퍼스타잖니? 기자회견을 하면 이렇게 되는 게 필연이야. 우리가 익숙해질 수밖에 없어. 악마의 삶은 기니까 말이야."

"그렇구나. 무슨 일이 있을 때마다 이런 자리를 마련해야만 하는 거네……."

나는 이번에 그 점을 처절하게 깨달았다. ……명계에서 유명해지면, 무슨 일이 있을 때마다 이런 자리를 마련해야만 하는구나…….

참고로 리아스가 말한 것처럼, 악마의 삶은 길다. 1만 년, 혹은 그 이상 살기도 하는 것이다.

매년 이런 걸 하게 된다면, 어쩌면 앞으로 1만 번은 하게 되려나? ……상상만 해도 지긋지긋하네.

스마트폰을 쳐다보던 제노비아가 입을 열었다.

"명계 SNS의 트렌드에 『찌찌드래곤』과 『스위치 공주』가 있어."

제노비아가 보여준 화면을 보니…… 진짜였다. 이번 약혼회견이 SNS 상에서 크게 화제가 되고 있었다.

리아스는 미소 지었다.

"후후후. 미디어와 일반인들의 시선 때문에라도, 나쁜 짓은 할 엄두도 못 내겠네."

……응. 리아스가 방금 말했다시피, 나쁜 소문이 돌지 않도록 조심해야겠다.

뭐, 우리는 현재 인간계를 중심으로 활동하고 있어서 매스컴이 찾아오지는 않으니, 직접 취재를 당할 일이 없다는 게 그나마 다행이다.

바로 그때, 제노비아가 문득 뭔가 생각난 것처럼 입을 열었다.

"혹시 우리도 약혼회견을 해야 하는 거야?"

아시아는 그 말을 듣고 당황했다.

"으으! 저, 저는, 못할 것 같아요……."

제노비아와 아시아는 자신들도 약혼회견을 하게 될까봐 전전긍긍하고 있었다.

실은 아까 회견 때도 질문을 받았다시피…… 나는 리아스 말고 다른 여자와도 약혼했다!

아시아 아르젠토, 히메지마 아케노 씨, 토죠 시로네(코네코)……와 언니 쿠로카, 게다가 제노비아 콰르타, 시도 이리나, 로스바이세 씨!

나는 현재 총 여덟 명의 여성과 장래를 약속했다. 정확하게는 프러포즈를 했다(프러포즈를 받기도 했다).

헤헤헤, 지금까지 함께해 오면서 이런저런 일이 있었거든. 그래서 나에게 호의를 가진 여자 전원을 아내로 삼기로 했다.

나는 하렘왕을 꿈꾸는 남자라고! 여자가 나를 좋아한다고 말해 주고, 나도 좋아한다면…… 행복하게 만들어 주고 싶단 말이야!

악마는 여러 파트너와 결혼할 수 있어서, 중혼 문제는 클리어했다.

이것은 첫 연인이자 약혼자인 리아스도 알고 있다. 순수 악마인 리아스는 일부다처제에 관용적이며, 내가 여러 아내를 두는 것도 허용해 줬다.

오히려 리아스는 다른 여자들을 이끌며 나를 보필할 기개마저 지녔다.

그런 리아스가 다른 여성들에게 말했다.

"해야 하는 사람과 하지 않아도 되는 사람이 있을 거야. 아시아와 제노비아는 괜찮아. 그리고 아케노, 시로네, 쿠로카도 마찬가지야."

아하, 안 해도 되구나.

다음은 아시아나 아케노 씨와 기자회견을 할 줄 알았는데…… 그러지 않아도 되는 건가.

윤기 넘치는 흑발 스트레이트 헤어에 일본풍 복장을 한 누님(몸매도 끝내줌!)인 히메지마 아케노 씨가 유감스러워 했다.

"어머나, 저는 사실 잇세 군…… 서방님과의 회견을 고대하고 있었는데 말이죠."

"……저는 해도 괜찮아요. 하든, 하지 않든, 제가 잇세 선배의 아내라는 점에는 변함이 없으니까요."

내 무릎 위에 앉아서 과자를 먹으며 그렇게 말한 이는 조그마한 체구에 로리로리한 느낌의 한 학년 후배—— 토죠 시로네다. 예전에 '토죠 코네코'라는 이름을 썼기에, 다들 지금도 '코네코'라고 불렀다.

아케노 씨는 리아스의 권속이자 『퀸』이며, 코네코는 『룩』이다.

아시아, 제노비아, 로스바이세 씨도 처음에는 리아스의 권속이었지만, 내 승격에 맞춰 트레이드를 해서 지금은 내 권속이 되었다.

바로 그때, 여자애 한 명이 손을 들었다.

밤색 트윈테일 헤어의 천진난만한 여자애—— 내 소꿉친구인 시도 이리나다.

"아, 나는 해야 할지도 몰라. 천계 관계자들 때문에 말이야. 전에 상층부에서 그런 설명을 들었어."

이리나는 그렇게 말했다. 그녀는 전생천사다.

현재 천사는 과거에 일어난 3대 세력 간의 전쟁 때문에 새로운 천사가 생기지 못하게 됐다. 그래서 동맹을 맺게 되면서, 악마와 타천사에게서 제공된 기술을 응용해 독자적으로 대상자를 천사로 전생시키는 시스템을 만들었다.

이리나는 천사의 수장—— 미카엘 씨의 A다.
에이스

천사는 악마의 전생 시스템 『이블 피스』를 응용해, 전생 방법에 트럼프를 접목시켰다.

이리나는 미카엘 씨에게서 A의 카드를 받아서, 전생천사가 된 것이다.

"진짜?! 하긴, 그렇겠네······. 이리나는 천사장인 미카엘 씨의 A잖아······."

나는 이리나의 말을 듣고 납득한다는 듯이 고개를 끄덕였다.

······이리나와의 약혼회견은 천사들이나 그리스도 교회 느낌으로 성스러운 분위기에서 치러질 것 같은데······ 악마로서 꽤 무시무시하면서도, 여러모로 신선한 느낌일 것 같네······.

그 뒤를 이어 손을 드는 이가 있었다.

——로스바이세 씨였다.

"저는 발키리 출신이니까, 북유럽 쪽에 타진해 보는 편이 좋을까요?"

로스바이세 씨는 전직 발키리이며, 북유럽 신화 출신이다. 그러니 로스바이세 씨의 고향인 아스가르드에 연락해서, 그쪽에서 회견을 해야 하려나······?

내 동료는 여러 세력에 있기 때문에, 이런 관계가 되면 여러모로 생각할 게 많다.

결혼식도 각자 어디서 할지, 벌써부터 다양한 의견이 오가고 있으니까 말이다.

나중 일이지만, 준비는 이제부터 하는 편이 좋을지도 모른다.

"하하하······. 진짜로 익숙해지는 수밖에 없겠네."

나는 멋쩍은 듯이 볼을 긁적였다.

……쉬운 일은 하나도 없지만, 나는 정말 행복했다. 이렇게 많은 여자에게 사랑받으니까 말이다. 남자로서 과분할 정도다.

1년 반 동안 몇 번이나 죽을 뻔하고…… 아니, 육체가 소멸될 정도로 격렬한 싸움도 치렀지만, 동료들만이 아니라 그녀들과도 결속을 다질 수 있었으니 보람은 충분히 있으려나?

……죽지 않는 편이 가장 좋겠지만, 내가 휘말리는 사건은 하나같이 죽어도 이상하지 않을 만큼 힘든 것들이니까 말이야!

"미래의 하렘왕은 고생이 많네."

그 목소리를 듣고 뒤를 돌아보니, 미남 왕자님 키바 유우토가 눈에 들어왔다! 이 녀석은 리아스의 『나이트』이자 내 친구다. 죽을 고비를 몇 번이나 함께 넘기면서, 우리는 절친 사이가 됐다.

나는 절친의 말을 듣고 쓴웃음을 지으며 대답했다.

"뭐, 어떻게든 될 거야."

그렇다. 어떻게든 할 수밖에 없다.

이 정도는 목숨을 걸고 싸우는 것에 비하면 아무것도 아니다. 게다가 이렇게 전투가 없는 나날은 툭하면 배틀을 치르는 우리에게 있어 매우 귀중했다.

장래의 행복을 위해, 사나이 효도 잇세이는 분골쇄신하겠습니다!

──마음속으로 그렇게 기합을 넣었을 때였다.

내 매니저인 레이벨이 수첩을 펼치고 나에게 말했다.

"저기, 잇세 님. 슬슬 다음 일을 처리하러 가셔야 해요. 이번 명계 방문에 맞춰 의뢰 몇 개가 들어와 있답니다. 으음, 두 시간 후에는 찌찌드래곤의 아동잡지 인터뷰가 잡혀 있어요. 그다음에는 새로운 CF의 촬영을———."

……유명해지는 것에 비례해서, 내 사생활은 거의 없어진 것이나 마찬가지다.

상급 악마가 되면서 하렘왕이 된다는 꿈에 다가선 만큼, 혹독한 현실이 밀려들고 있었다———.

$$-\circ\;\bullet\;\circ-$$

며칠 후———.

나는 학교——— 쿠오우 학원 고등부의 안뜰에 있는 벤치에 앉아서 하늘을 쳐다보고 있었다.

"아~ 가슴을 즐기고 싶어……."

나는 투덜대듯 그렇게 중얼거렸다.

스케줄에 쫓기며 살게 되자, 여자애들과 이야기를 나눌 시간도 줄고 말았다.

찌찌드래곤으로서 처리해야 할 일도 있고, 지금은 레이팅 게임의 국제대회에도 참가하고 있기 때문에, 엉큼한 이벤트도 발생하기 어려워졌다!

젠장! 아시아, 제노비아, 이리나, 교회 트리오가 작당하고 나를 덮치려고 했던 게 그리울 지경이야!

……당시에는 너무 갑작스러워서 당황했지만, 지금은 연인

들과의 육감적인 나날이 멀어져 가는 게 너무 쓸쓸했다.

아, 레이팅 게임이란 것은 악마들의 경기를 말하는 거다. 자신의 권속을 체스말로 치고, 온갖 룰에 따라 상대의 악마 권속들과 경쟁하는 독자적인 경기다.

명계에서는 이 경기에서 상위 랭커가 되는 것이 상급 악마에게 큰 꿈이 되어 가고 있다. 리아스도 레이팅 게임에서 활약하는 것이 꿈이었다.

현재는 그 경기를 기반으로 해서 온갖 세력과 신화체계가 참가하는 제1회 국제대회 『아자젤컵』이 한창 열리고 있다.

나도 나만의 팀을 만들어서 이 대회에 참가 중이다. 리아스 또한 자신의 팀을 꾸려서 참가했다.

수많은 강적과의 싸움을 거친 끝에, 나와 리아스의 팀은 본선 토너먼트에 올라가는 16개 팀에 이름을 올렸다.

그래서 나는 『악마영업』과 '찌찌드래곤'으로서의 일, 그리고 약혼회견 등을 하면서, 대회 준비—— 특별 훈련도 해야 하는 상황이다.

그게 다가 아니라, 학교에도 다녀야만 하는 것이다.

……리아스도 자신의 팀을 이끌며 『악마영업』을 하고 있었기에, 나와 함께하는 시간이 줄었다.

얼마 전까지는 침대에서 나와 리아스와 아시아가 나란히 잤는데! 리아스의 가슴에 얼굴을 묻고 푹 잤는데!

……요즘에도 그럴 때가 있기는 하지만, 손으로 꼽을 수 있을 만큼 드물어졌다.

그리고 지금이 드문 시기인 것이다.

그래서 리아스의 가슴을 만끽하고 싶어 참을 수가 없었다.

리아스의 가슴…… 그 탱글탱글하고 말랑말랑하며 어마어마하게 부드러운, 최고의 감촉을 지닌 찌찌를 즐기고 싶어…….

다섯 손가락으로 꽉 움켜쥐거나, 얼굴을 묻고 싶다고!

아아아아아아아아아아아아아아아아앗!

찌찌를 만지고 싶어어어어어어어어어어어어어어어어! 때로는 전부 다 잊고 그 끝내주는 찌찌에 푹 파묻히고 싶다고 생각하면 안 되는 건가요?! 용서받을 수 없는 짓인가요?!

내가 마음속으로 통곡을 터뜨렸을 때였다.

찰싹! 하는 소리를 내며 누군가가 내 뒤통수를 때렸다. 고개를 돌려보니―― 단발에 밝히게 생긴 남자, 안경을 쓰고 밝히게 생긴 남자가 눈에 들어왔다.

나는 상대가 누구인지 알자마자 불평을 늘어놓았다.

"아얏! 마츠다, 모토하마, 이게 무슨 짓이야?!"

머리카락이 짧은 쪽인―― 마츠다가 화난 표정으로 나에게 따졌다.

"시끄러워! 젠장! 우수에 젖은 목소리로 그렇게 부러운 넋두리를 늘어놓지 말라고!"

이번에는 안경을 낀 쪽인―― 모토하마가 피눈물이라도 흘릴 듯한 표정으로 그렇게 외쳤다.

"맞아! 1년 반 전의 너는! 우리와 함께 '찌찌 주무르고 싶어~' 하고 외치며 일치단결했잖아!"

불같이 화를 내던 마츠다가 갑자기 눈물을 쏟았다.

"그런 네가…… 우리를 두고, 리얼충이 되어버리다니……!"

모토하마는 마츠다의 어깨에 손을 얹더니, 분통을 터뜨리며 말했다.

"이 녀석이라면 매일 밤 리아스 선배의 찌찌를 만지고, 주무르고, 얼굴을 묻고, 쪽쪽 빨며, 마음껏 즐기고 있을 거라고!"

——갑자기 나타나 엉엉 울고 있는 이 두 녀석은 마츠다와 모토하마. 이 녀석들은 옛날부터 같이 어울려 다녔던 내 악우다.

학교 안에서는 나도 포함해 에로 3인조라 불리고 있다.

함께 에로DVD를 감상하고, 야한 게임에 대해 이야기하기도 했지. 몸매 좋은 여자에 관한 정보를 입수하면, 그 아이의 방을 몰래 보기도 했다.

하지만 내가 리아스와 사귀고 있다는 것을 올해 봄에 알려주자, 이 녀석들은 툭하면 '리얼충 죽어버려!' 하는 소리를 나에게 퍼부어댔다.

……1년 반 전만 해도 함께 '리얼충 죽어버려!' 하고 외쳤던 사이인데 말이다. 아무래도 애인이 생긴 나를 배신자로 취급하는 것 같았다.

……그러고 보니 1년 반 전에도 비슷한 일이 있었지. 이 녀석들의 당시 기억은 지워졌지만 말이야…….

이 녀석들이 그때와 같은 반응을 보이니, 왠지 그립다고나 할까, 마음이 복잡하다고나 할까…….

하지만 내가 리아스와 사귄다는 것을 다른 학생들에게 비밀로 해 주는 것을 보면, 이 녀석들은 나를 충분히 배려해 주고 있었다.

리아스는 졸업했지만, 예전에는 우리 학교의 아이돌이었다. 그런 리아스와 에로 3인조 중 한 명인 내가 사귄다는 게 학생들에게 알려진다면…… 미증유의 사태가 벌어지면서 내 학교생활이 망가질 것은 불 보듯 뻔했다.

그걸 아는지, 마츠다와 모토하마는 나에게 투덜대기는 해도 다른 학생들에게는 비밀로 해 줬다.

……고마워. 마츠다, 모토하마. 참고로 말하자면 아직 빨아보지는 못했어.

일단 나와 리아스가 악마라는 건 비밀이다. ……인간과는 다른 존재인 악마라는 사실을 알게 되면 위험에 처할 가능성도 있는 것이다.

아직도 정체를 숨기고 있는 게 마음에 걸리지만, 이것도 마츠다와 모토하마를 위한 일이다.

마츠다는 더욱 화를 내면서 말했다.

"게다가 리아스 선배와 사귀면서도, 아시아 양과 제노비아 양, 이리나 양과 여전히 사이가 좋잖아……! 아시아 양은 아직 너한테 호의를 가지고 있는데……!"

"우리도…… 가슴을, 맛보고 싶은데……!"

모토하마도 목소리를 쥐어짜내며 그렇게 말했다.

나는 난처해하면서 말을 이었다.

"아니, 뭐, 리아스와 사귀고 있지만, 가슴을 맛볼 기회는 거의 없다고. 느긋하게 지낼 시간이 없거든."

마츠다는 그 말을 듣더니, 또 따지고 들었다.

"너한테 대체 무슨 일이 일어나고 있는 거야?! 진로 때문이야?! 아니면 사랑 싸움?!"

"으, 으음, 진로 때문……일 걸?"

내가 무난하게 대답했다. 사랑 싸움 같은 건 아니라고.

마츠다와 모토하마와 그런 이야기를 나누고 있을 때, 누군가가 끼어들었다.

"색골 3인조가 이런데서 뭘 하고 있는 거야? 또 여자 방을 훔쳐보려고 작당하고 있는 거야?"

그 목소리가 들린 곳을 향해 고개를 돌려보니, 안경을 쓴 여학생이 씨익 웃고 있었다.

키류 아이카── 나와 같은 반인 여학생이자, 아시아의 친구이기도 했다.

그리고 아시아와 제노비아, 이리나에게 엉큼한 짓을 알려주고 있는 참 고마운…… 아니, 난감한 여자애다!

……참고로 이 녀석은 우리의 정체를 알고 있다. 우연히 그렇게 된 거지만, 결과적으로 아시아의 좋은 이해자가 되어 줬다.

마츠다가 키류를 향해 외쳤다.

"닥쳐, 키류! 우리는 리얼충에게 찌찌에 대해 추궁하고 있을 뿐이야! 인기 없는 남자의 질투를 지금은 용서해 달라고!"

"맞아! 이건 남자의 본성이야!"

모토하마도 동의했다.

"하아, 알았어. 참, 마츠다. 너한테 손님이 찾아왔어."

키류는 눈을 흘겨 뜨더니, 그런 말을 입에 담았다.

마츠다는 손가락으로 자기 자신을 가리키고 고개를 갸웃했다.

"응? 나한테, 뭐?"

키류는 엄지로 뒤편을 가리켰다.

그곳에서 머리카락을 단정하게 땋아서 순진해 보이는, 귀여운 여학생이 있었다.

키류가 말했다.

"D반의 하세 양이야. 하세 양, 이쪽이야."

키류가 손짓하자 하세 양이 머뭇거리면서 이쪽으로 걸어왔다.

얼굴을 새빨갛게 붉힌 채 몸을 배배 꼬고 있었다.

잠시 후, 하세 양은 마음을 굳게 먹은 표정을 지으며 말했다.

"저, 저기, 마츠다 군……. 저기, 저쪽에서 나와 이야기 좀 안할래?"

하세 양은 떨리는 손가락으로 인적이 없는 장소를 가리켰다.

"응? ……아, 그래. 좋아……."

마츠다는 영문을 모르겠다는 표정을 지으며 그렇게 말하더니…….

"미안한데, 잠깐 다녀올게."

하세 양과 함께 걸어갔다.

………….

……느닷없이 그런 일이 벌어지자, 나와 모토하마는 얼이 나갔지만…….

곧 뭐가 어떻게 된 건지 눈치챈 나는 키류에게 물었다.

"혹시, 그렇고 그렇게 된 거야?"

키류는 씨익 웃으면서 고개를 끄덕였다.

"뭐, 맞아. 마츠다 녀석, 여름방학 때 다른 학교 학생들한테 희롱을 당하고 있던 하세 양을 구해 줬다지 뭐야."

뭐?! 여름방학 때 그런 일이…….

마츠다 녀석은 밝히기는 해도 의외로 그런 일을 보면 바로 나서거든……. 그래서 나도 저 녀석과 친구로 지내는 거야.

모토하마도 눈치챈 건지 충격을 받은 듯한 표정을 지었다.

키류는 놀리는 듯한 표정으로 모토하마를 쳐다보며 말했다.

"만약 마츠다가 오케이를 한다면, 너만 남겠네. 색, 골, 안, 경, 남."

키류의 그 말을 듣고도 반응하지 않던 모토하마는——.

"……………………."

곧 자기 머리를 붙잡고, 하늘을 올려다보며 절규를 토했다!

"……이, 이건 거짓말이야아아아아아아아아아아아앗!!!"

3학년 2학기가 되니, 내 주변 환경에도 변화가 생기기 시작한 것 같았다.

……뭐, 이 시기에는 다들 졸업에 대해서도 생각하잖아. 그러니 심경의 변화가 일어나도 이상하지는 않다고.

고교생활 마지막 청춘——.

뜻밖의 일이 아무렇지 않게 일어나려 하고 있었다.

─ ○ ● ○ ─

낮에 그런 일이 생긴 가운데, 해가 지고 밤의 활동이 시작됐다.

밤에는 『악마영업』을 하기 위해 자택 인근에 있는 사무소에 효도 잇세이 권속이 모였고, 그날의 업무를 시작했다.

내가 해야 할 일은 서류업무만이 아니다.

나는 한밤중에 자전거를 타고 단골손님이 기다리고 있는 곳으로 향했다.

악마를 소환하면, 보통 마방진에서 등장한다. 나도 사무소에 그려진 마방진을 통해 의뢰자가 있는 곳으로 전이할 수 있다.

──하지만 리아스의 밑에서 이 일을 갓 시작했을 즈음의 나는 마력이 부족해서 전이조차 할 수가 없었다. 그런 전대미문의 엉터리 악마였다.

그래서 당시에는 내 발로 직접 현지에 갈 수밖에 없다. 그래서 당시에는 자전거를 타고 의뢰자를 찾아갔다.

당시의 손님들은 나=자전거 방문이라는 이미지를 가지고 있는지, 전이를 할 수 있게 되었는데도 자전거 방문을 희망하는 것이다.

신세를 지고 있는 단골들의 요청은 되도록 들어주고 싶다. 그래서 나는 상급 악마가 되었는데도 때때로 자전거를 타게 됐다.

오늘 밤에 내가 찾은 단골손님은──.

눈에 익은 아파트에 도착한 나는 의뢰자가 사는 집의 초인종을 눌렀다.

그러자 그다지 건강해 보이지 않는 남성이 문을 열고 나왔다. 바로 모리사와 씨다.

"오오, 잇세 군! 기다리고 있었어!"

모리사와 씨는 나를 환대했다.

모리사와 씨는 내가 리아스의 밑에 있었던 시절부터 알고 지냈으며, 실은 내 첫 손님이기도 했다.

우리는 죽이 잘 맞았고, 그래서 모리사와 씨는 매번 나를 지명해 줬다.

나를 집 안으로 들인 모리사와 씨는 기대에 찬 표정으로 나를 쳐다보며 물었다.

"그 일 말인데, 잘 진행되고 있지?"

나는 고개를 끄덕였다.

"예. 뭐, 일단은요. 알고 지내는 전문가와 상의해 봤어요."

모리사와 씨는 내 말을 듣더니, 뛸 듯이 기뻐했다.

"만세! 이제 나한테도 애인이 생길지도 모르겠네! 그것도 인외(人外)의 여자애로 말이야!"

모리사와 씨는 지난번에 나에게 이런 의뢰를 했다.

——여자애를 소개해 줘.

어쩌다 그렇게 되었냐면…….

사실 모리사와 씨는 나 말고도 다른 악마…… 아니, 내 동료를 소환해 주는, 그레모리 측의 단골손님이라고 할 수 있다.

그리고 어느 날, 모리사와 씨는 마방진으로 소환한 코네코에게 이런 말을 했다.

『맞다, 코네코 양! 내 애인이 되어 줘! 응?』

모리사와 씨는 반쯤 농담으로 그런 말을 한 것 같지만, 코네코의 대답은──.

『……그럴 수는 없어요. 저는 애인이 있거든요.』

『……어, 정말이야? 어느새…….』

『예. 바로 잇세 선배예요.』

다음 날, 모리사와 씨는 나를 불러 자초지종을 캐물었지…….

그리고 다른 날에는 제노비아를 불러냈다.

그때, 모리사와 씨는 또 반쯤 농담 삼아 말했다.

『맞아, 제노비아 양. 이번 소원은 나와 사귀어줘~ 같은 것도 될까?』

『미안해, 모리사와 씨. 나는 애인이 있어. 실은 잇세와 사귀고 있거든. 장래도 약속했어. 나는 그 녀석의 여자야.』

당연히 모리사와 씨는 다음 날에 나를 불러서 자초지종을 캐물었다…….

그리고 또 다른 날에 로스바이세 씨를 불러서──.

『로스바이세 씨, 전에 애인을 가지고 싶다는 말을 했었잖아? 요즘은 어때? 아, 이런 질문은 성희롱일 수도 있겠네. 미안해.』

『…………애, 애, 애, 애인…… 있는데요…….』

로스바이세 씨는 머뭇거리면서 그렇게 대답했다고 한다.

『뭐?! 정말?!』

모리사와 씨는 로스바이세 씨를 솔로 경력=연령인 안습 미녀라고 생각하고 있었기에, 그 말을 듣고 엄청 놀랐다고 한다.

얼굴이 새빨개진 로스바이세 씨는 모리사와 씨에게 이야기를
했다고 한다.

『……바로 잇세 군이에요.』

물론 나는 다음 날에 또 모리사와 씨에게 불려가서 자초지종
을 이야기해야 했다.

그때, 모리사와 씨는 작정을 한 듯이 나에게 캐물었다.

"혹시 아시아 양도 네 애인인 거 아냐?!"

"아…… 예. 마, 맞아요. 저는 악마라서 아내를 여러 명 둬도
괜찮거든요."

모리사와 씨는 오열하더니, 나한테 코브라트위스트를 걸면서
소리를 질렀다.

"이 배신자아아아아앗! 너 같은 색골 꼬맹이가 그렇게 귀여운
여자애들을 애인으로 삼아?! 분명 뭔가 잘못된 거야! 악마적인
최면술을 쓰거나…… 약점을 잡아서 억지로 애인으로 만든 거
아냐?! 그래, 틀림없어! 분명하다고! 너는 완전 색골이잖아!"

"그딴 짓 안 했어요오오오오오오!"

나는 억지로 코브라트위스트에서 벗어나면서 모리사와 씨를
향해 외쳤다.

"한 사람, 한 사람에게 제대로 프러포즈를 했어요! 그리고 저
는 지금까지 몇 번이나 죽을 뻔했거든요?! 그러면서 그 애들과
친해진 거예요! 악마로 살려면 목숨이 몇 개 있어도 모자라다고
요!"

내가 그렇게 대답하자, 모리사와 씨는 이해한 듯한 반응을 보

이면서 이야기했다.

"…………큭, 그래……. 너는 내 억지를 몇 번이나 들어줬지. 그리고 악마영업도 열심히 했다는 건 손님인 나도 알아. 그래서 네가 중급 악마가 되었다는 말을 듣고 기뻤고, 드디어 상급 악마로서 독립했다는 이야기를 들었을 때도 감동했지……. 하지만…… 하지만!"

……모리사와 씨는 좀 이상한 구석이 있기는 하지만, 꽤 좋은 사람이다.

그가 말한 대로 내가 중급 악마가 되었을 때는 진심으로 기뻐해 주면서 유명 가게의 케이크를 대접해 주기도 했지…….

독립한 후에도 이렇게 계속 단골로 있으며, 엉큼해 보이기는 하지만 여자애들을 대할 때도 매우 신사적이다.

그런 모리사와 씨가 비탄에 젖었다.

"으으, 악마가 되고 싶어……. 악마가 되고 싶다고……. 그래서 나도 여자애들에게 둘러싸여 살고 싶단 말이야…….."

내가 아무 말도 건네지 못하자, 모리사와 씨는 어험 하고 헛기침을 했다. 그러더니 다시 환하게 웃으며 나에게 말을 건넸다.

"──뭐, 비탄에 젖는 건 그만둘까. 그럼 본론에 들어가겠어. ──나에게도 귀여운 애를 소개해 줘, 리얼충 군!"

"귀, 귀여운 애…… 말인가요?"

모리사와 씨는 나에게 다가와서 호소하듯 말했다.

"너처럼 애인이 많은 녀석이라면, 솔로인 여자도 알고 있을 거잖아? 악마라도 괜찮고, 천사도 좋아! 요괴나 마물도 있다고

했지? 그쪽 방면 여자애도 좋다고! 나, 실은 인외의 여자를 동경해!"

…………얼마 전 나와 모리사와 씨는 이런 이야기를 나눴다.

그래서 나는 그쪽 방면 여자와 인맥이 있는 선배에게 연락을 취했다.

이름은 아베 키요메 씨. 쿠오우 학원 고등부 졸업생이며, 마물에 정통한 가문에 속한 선배다.

나는 아베 선배에게서 모리사와 씨의 희망사항에 부합되는 마물 여성을 픽업한 리스트를 받았다. 그리고 그 리스트를 모리사와 씨에게 몰래 건네줬다.

모리사와 씨의 희망사항은…… 세세한 부분도 꽤 있지만, 크게 강조된 부분만 꼽자면…….

· 자신을 공주님처럼 안아 줄 수 있을 만큼 괴력이 있을 것.

· 설녀가 존재한다면, 설녀였으면 함.

이 두 가지다.

…………당치도 않은 희망사항이잖아! 어디 사는 누구 씨를 정확하게 가리키고 있다고!

나는 일단 '괴력의 소유자보다는 아담한 애가 좋지 않을까요?', '설녀를 애인으로 삼으면 여러모로 힘들지도 모르거든요?' 같은 주의를 줬다.

하지만——.

"아냐! 설녀가 존재한다면, 설녀와 사귀고 싶어! 나는 옛날부터 설녀 전설을 동경했거든! 아내가 되어 준다고! 설녀의 정체만 비밀로 해 주면, 평생 미녀와 함께 살 수 있어! 그것보다 멋진 일이 어디 있어!"

모리사와 씨는 설녀의 전설을 언급하며 열띤 목소리로 그렇게 주장했다.

"게다가 이 리스트에는 설녀 항목도 있잖아! 이름이 크리스티네! ……일본 출신인데 외국인 같은 이름을 지닌 건, 아마 혼혈이라 그런 거겠지! 나는 만나고 싶어! 만나서 이야기를 나누고 싶단 말이야! 리얼충인 너는 나의 이 마음을 이해하지 못해!"

……저렇게까지 말하니 일단 만나게 해 주는 것도 괜찮다고 생각한 나는 아베 선배에게 연락을 취했다.

아베 선배는 순순히 소환을 허락해 줬고, 모리사와 씨에게 알려주자 그는 뛸 듯이 기뻐했다.

"만세에에에에엣! 내 애인이 되어 줄지는 아직 알 수 없지만, 그래도 정말 최고네! 반드시 상대방의 마음에 들고 말겠어!"

모리사와 씨는 열의가 넘치는 것 같았다.

나는 마방진이 그려진 시트를 바닥에 깐 다음, 소환 준비를 시작했다.

마방진은 내 마력에 반응하며 전이 준비에 들어갔다.

마방진의 문양에서 눈부신 빛이 뿜어져 나왔다.

모리사와 씨가 내 옆에서 눈을 반짝이며 보는 가운데…….

전이의 빛이 한층 더 강렬해지더니, 그대로 터져 나갔다!

……빛이 잦아든 후, 마방진 위에 누군가가 존재했다. 내가 불러낸 설녀는—— 울부짖었다!

"우호오오오오오오오오오오오오오오오오오오오오오오오오오오오오오!!"

이 방에 나타난 건―― 새하얀 털을 지닌 고릴라였다!

그렇다. 이 세계에 존재하는 설녀는―― 새하얀 털을 지닌 고릴라처럼 생겼다! 그야말로 설인(雪人) 예티 그 자체인 것이다. 처음 설녀를 봤을 때, 나는 이 세상을 저주했다고!

고릴라라고, 고릴라. 특기가 냉동 브레스 뿜기인 눈고릴라란 말이야.

"우호호."

나와 모리사와 씨를 본 고릴라가 인사를 건네는 듯한 울음소리를 냈다.

참고로 모리사와 씨는 안경을 벗어서 렌즈를 닦은 다음, 다시 썼다.

눈에 힘을 주고 응시했지만, 그런다고 눈앞에 있는 새하얀 고릴라가 미녀로 변하지는 않는다!

"고."

모리사와 씨도 울부짖었다!

"고릴라잖아아아아아아아아아아아아아아아아아앗!"

나는 즉시 반박했다.

"설녀예요! 이게 설녀라고요!"

"고릴라잖아!"

"크리스티예요! 처녀예요!"

"암컷 고릴라잖아!"

"설녀예요! 모리사와 씨가 바라던, 괴력을 지닌 설녀라고요!"

"괴……괴력……을 지녔을 것 같기는 하네!"

모리사와 씨는 크리스티의 두툼한 팔뚝을 보고 숨을 삼켰다.

듬직하다는 생각보다 생명의 위기를 떠올린 게 틀림없다.

하아. 아베 선배도 성격이 나쁜 건지, 아니면 단순히 깜빡한 건지는 모르겠지만 리스트에 사진을 첨부하지 않았다고! 이건 평범한 사람에게 너무 자극적이란 말이야! 아니, 악마인 나도 처음 만났을 때는 엄청 충격을 받았거든?!

모리사와 씨와 고릴스티, 아니, 크리스티가 서로를 응시했다.

이제 어떻게 할지 고심하고 있을 때, 내 핸드폰에 연락이 들어왔다. 다른 의뢰가 들어온 것 같았다.

……으, 으음, 오늘 밤에는 이제 그만 실례해도 되겠지?

나는 살금살금 거리를 벌린 후, 단숨에 이 방의 입구를 향해 뛰어갔다!

"그럼 단둘이서 이야기 나누세요!"

나는 그렇게 말하며 그대로 이 자리를 벗어났다!

등 뒤에서——.

"거기 서, 이 배신자아아아아아아앗!"

모리사와 씨의 통곡이 들려왔다——.

나중에, 그 두 사람은 꽤 마음이 맞아서 친구가 되었다는 충격적인 보고를 받았지만, 그 이야기는 다음 기회에 하겠다!

모리사와 씨 외에도 몇 건의 의뢰를 마친 나는 자전거를 타고 집으로 향했다.

"……드디어 끝났네."

　나는 페달을 밟으면서 땅이 꺼져라 한숨을 내쉬었다.

　신인 시절에 비해 여러모로 힘들기는 한걸. 내가 의뢰자를 찾아간 사이에도 새로운 의뢰가 들어왔고, 다른 권속이 맡은 일도 체크해야 했으며, 지시 또한 내려야 했다.

　특히 마음고생이 이만저만이 아니었다. 이제 내 앞가림만 하면 되는 상황이 아닌 것이다. 나는 권속들의 앞날도 생각하며 행동해야만 한다.

　이것이 상급 악마가 겪는 고통인 걸까.

　하지만! 이 일이 끝나고 나면 한동안 시간이 생긴다!

　나는 엉큼한 망상을 했다.

"뭐, 오늘 밤에는 오래간만에 느긋하게 지낼 수 있을 테니까 시간이 된다면 리아스와 같이 목욕하는 것도 좋겠지……."

　우리 집은 작년에 그레모리 가문의 호의로 지상 6층, 지하 3층의 대저택으로 개조됐다. 그때, 지하에 어마어마하게 넓은 욕실을 만든 것이다.

　오늘 밤, 나와 리아스는 그곳에서 알몸으로…….

　가슴을 출렁대고 있는 리아스가 시키는 대로, 나는 목욕용 의자에 앉을 것이다. 그리고 리아스가 목욕용 수건에 보디샴푸로 거품을 낼 것이다.

『자아, 등 씻겨줄게.』

바로 그때, 아케노 씨가 나타난다!

『어머나, 저도 할래요. 장래의 제 서방님이니까요.』

아케노 씨도 보디샴푸를 묻힌 목욕수건을 들고 있으며, 누가 먼저 내 등을 씻겨줄지를 가지고 리아스와 다투며, 그 커다란 가슴을 마구 흔들어댄다!

그 뒤를 이어 아시아, 제노비아, 이리나도 참전한다!

『저, 저도 잇세 씨의 등을 씻겨드리고 싶어요!』

『그래! 다 같이 하자!』

『그럼 나는 달링의 발을 씻겨줄래!』

아시아가 내 오른팔을, 제노비아가 내 왼팔을, 이리나가 내 발을 씻겨주기 시작한다!

바로 그때, 코네코와 쿠로카도 나타나는 것이다!

『……저는 배를 씻겨드릴래요.』

『우후후 ♪ 몸 구석구석까지 깨끗하게 씻겨줄게냥 ♪』

그리고 로스바이세 씨가 내 머리카락을 감겨준다!

『……가, 간지러운 곳은 없나요?』

오른쪽을 봐도, 왼쪽을 봐도, 앞을 봐도, 뒤를 돌아봐도, 고개를 들어봐도, 가슴이 눈에 들어왔다! 사방팔방에 가슴이 있는 것이다!

그리고 내 매니저인 레이벨 또한 그 자리에 있을 게 틀림없다!

『매니저도 참전할래요!』

장래를 약속한 여자애들과 함께 목욕한다! 가능하면 다시 즐겨 보고 싶다고!

엉큼한 표정을 지으며 그런 망상에 빠진 나는 자전거 페달을 열심히 밟았다.

"크흐흐흐흐! 정신없이 바쁘던 나날에 잠시 동안 여유가 생기는 거잖아! 그런 일이 얼마든지 벌어질 수 있다고!"

일이 다 끝났으니 빨리 집으로 돌아가고 싶다는 생각으로 마음속이 가득 차있던 바로 그때였다.

인적 없는 공원을 지나려던 순간, 아름다운 노랫소리가 들려왔다.

무심코 자전거를 세운 나는 공원 쪽을 쳐다보았다.

"……이런 한밤중에 웬 노랫소리지?"

자전거를 공원 앞에 세운 나는 노랫소리가 신경 쓰인 나머지 공원 안으로 들어갔다.

이곳은 내가 자주 들르는 공원이다. ……그리고, 내가 처음으로 죽은 장소이기도 했다.

"—— ♪ ———— ♪"

노래가 분명하게 들렸다.

나는 노래가 들리는 곳을 향해…… 빨려들듯 걸음을 옮겼다.

그곳은 분수 앞이었다.

그곳에—— 몽환적인 분위기가 감도는 외국인 소녀가 있었다.

긴 보라색 머리 소녀였다. 연보랏빛 입자가 주위를 감돌고 있었으며, 그 입자는 아름다운 노랫소리에 맞춰 춤추고 있는 것처럼 보였다.

"———— ♪ —— ♪"

처음 듣는 노래다. 하지만 듣기만 해도 치유되는 것 같다고나 할까, 마음이 따뜻해지는 느낌이 들었다.

나이는 나와 비슷한 것 같았다. 순백색 드레스를 입었으며, 머리카락 색깔과 노랫소리, 그리고 드레스 위로도 확연하게 드러나는 가슴이 눈길을 끌었다.

──바로 그때, 그녀는 내 기척을 느낀 건지 노래를 멈췄다.

"…………아."

소녀는 깜짝 놀랐다. 역시 엄청난 미녀다! 약간 졸린 듯한 표정을 짓고 있지만, 마치 그림에서 방금 튀어나오기라도 한 것처럼 이목구비가 반듯했다.

그 소녀의 오렌지색 눈동자가 나를 향했다.

보라색 머리카락과 오렌지색 눈동자……. 머리카락을 염색하고 컬러 콘택트렌즈를 했다면 모르겠지만, 이런 색깔의 머리카락과 눈동자를 지닌 인간은 이 세상에 없다.

입자가 날아다니는 것도, 그녀가 지닌 특별한 힘── 이능이 발휘되었기 때문이리라.

내가 사는 쿠오우쵸는 견고한 결계가 둘러치고 있어서, 우리와 관련이 있는 초월적인 존재나 이형의 존재가 아니면 함부로 들어올 수 없다.

그런데, 이 공원에 인간이 아닌 듯한 소녀가 있다는 건…….

나는 한숨을 내쉬면서도 웃는 얼굴로 그녀에게 다가갔다.

"아~ 저기, 미안해. ……방해할 생각은 없었지만, 한밤중에 아름다운 노랫소리가 들려서 말이야."

그녀는 의아하다는 듯이 고개를 갸웃거리면서 입을 열었다.

"……당신은…… 붉은…… 용?"

──윽.

……놀랐다. 나를 아는 것 같았다. 내 몸 안에는 전설의 드래곤── 이천룡 중 하나인 적룡제가 깃들어 있는 것이다.

그렇다면 경계를 해야겠지만…… 졸려 보이는 저 소녀에게서는 적의를 머금은 아우라가 느껴지지 않았다.

"……나를, 아는──."

거기까지 말했을 때였다.

내 피부를 자극하는 살의가 느껴졌다.

그 살의는 눈앞의 소녀가 뿜고 있는 게 아니었다. 나는 살의가 느껴진 곳을 쳐다보았다.

이 공원의 나무 사이에서 느껴졌다. 게다가 한두 개가 아니었다. 상당한 숫자의 살기가 느껴졌다.

내가 살기를 눈치챘다는 것을 알았는지, 처음 보는 수상한 자들이 한꺼번에 모습을 드러냈다.

……분수 근처에 있는 나와 저 소녀를, 인간의 모습을 한 이형의 존재가 포위했다.

겉보기에는 인간이지만, 몸에 두른 힘── 아우라는 명백하게 인간과 달랐다. 아우라의 기질로 볼 때, 악마……인가? 아니, 이 마을에 우리 이외의 악마는…….

그 숫자는 10여 명 정도였다. 전부 남자…… 아니, 여성 악마도 두 명 정도 있었다.

하아, 하나같이 악랄한 미소를 짓고 있네.

문제는 아우라의 농도다. ……중급 악마 클래스는 가볍게 넘어서는걸? 이 정도 숫자의 상급 악마 클래스가 이 마을에 숨어들어온 건가?

악마로 추정되는 자들 중 한 명이 한 걸음 앞으로 나서면서 나에게 질문을 던졌다.

"……너, 악마지? 드래곤의 아우라도 느껴지는데…… 아니, 드래곤에 가까운 아우라군."

나는 한숨을 내쉰 후, 보라색 머리 소녀에게 물었다.

"내 뒤에 있어. 뭐, 이런 일에는 익숙하니까 안심해도 돼."

우선 여자애를 지키겠습니다! 그게 내 신조거든.

나는 이상한 악마들에게 질문을 던졌다.

"……이 마을 사람은 아니지?"

내가 묻자, 그들은 히죽거리며 대답했다.

"그래. 우리는 이 마을에 살지 않아."

나는 얼추 숫자를 세어봤다. 기척으로 볼 때 숨어 있는 녀석은 없어 보였다.

전원이 내 눈앞에 있었다. 이거 잘됐네.

"……열세 명인가? 아우라의 질로 볼 때 악마가 맞겠네. 구마왕파……도 아닌 것 같군."

이상한 악마 중 하나가 내 말에 답하듯 입을 열었다.

"너야말로 아우라의 파동으로 볼 때 상급 악마 클래스 같은걸."

…………

나는 그 말을 듣고 뭔가를 눈치챘다.

악마면서, 나를 모르는 건가…….

자랑은 아니지만, 나는 '젖룡제 찌찌드래곤' 덕분에 명계에서도 꽤 유명한 편에 속한다. 물론, 명계의 변경에서 외부와의 접촉을 금하며 생활한 악마라면 나를 모를 수도 있다.

하지만 명계와 다른 세력에서 큼직한 사건이 일어날 때마다 나와 내 동료들의 이름은 신문, 텔레비전, 라디오 등에서 언급됐다. 그러니 모르는 게 이상할 정도다.

아무튼 적의를 지니고 내 앞에 선 이상, 해치우지 않으면 당하고 만다.

"어쨌든 이 마을에서 그렇게 적의를 흩뿌리며 돌아다니는 녀석들을 내버려둘 수야 없지. 안됐지만, 전부 체포——."

내가 전투태세를 취하려던 순간, 악마 집단 안에서 한 녀석이 뛰쳐나오면서 손에 응축한 아우라 덩어리를 날렸다!

"죽어라아아아아앗!"

나는 등 뒤에 있는 여자애를 감싸면서 순식간에 물러났다.

이상한 악마가 날린 아우라 덩어리는 허공을 가르면서 지면에 작렬하더니, 그대로 엄청난 폭발을 일으켰다!

젠장! 저렇게 큰 소리가 나면 이 근처에 사는 사람들에게 민폐가 될 뿐만 아니라, 무슨 소리인지 신경이 쓰여서 보러올지도 모른다고!

"느닷없이 공격하는 거냐! 그렇다면 봐주지 않겠어!"

나는 왼팔에 새빨간 갑옷 토시를 출현시켰다. 이 녀석은 『적룡제의 수갑(부스티드 기어)」. 세이크리드 기어라고 해서, 인간이 드물게 가지고 태어나는 이능 중 하나다. 나는 인간 출신 전생악마이기 때문에, 이 갑옷 토시를 가지고 있다.

세이크리드 기어는 다양한 종류와 다양한 능력을 갖추고 있으며, 내가 가지고 있는 건 그 중에서도 특별한 것이다.

내가 갑옷 토시를 착용한 순간, 이상한 악마들이 일제히 덤벼들었다! 나는 그 녀석들의 공격을 피하며, 때때로 반격을 날리면서 주문을 영창했다!

"——나, 깨어나는 것은 왕의 진리를 하늘 높이 드높인 적룡제이니!"

그 순간, 내 온몸이 절대적인 붉은색…… 진홍의 아우라에 감싸였다!

"무한한 희망과 불멸의 꿈을 품고, 왕도를 나아가리! 나, 붉은 용의 제왕이 되어——."

그리고, 주문의 마지막 구절을 입에 담았다!

『그대를 진홍으로 찬란하게 빛나는 태양으로 이끄노라——!』

『Cardinal Crimson Full Drive!!!!』

보옥의 음성이 울려 퍼졌다!

눈부신 아우라가 사방으로 터져나갔다. 빛이 잦아든 후, 내가 몸에 걸친 것은 진홍색을 띤 전신갑옷이었다.

——진홍의 혁룡제, 내 전투태세다!

세이크리드 기어는 힘을 최대한 끌어올릴 뿐만 아니라, 그 과정에서 소유자의 심신에 극적인 변화가 발생한다면 다른 영역에 돌입한다.

그것이 밸런스 브레이커다.

내가 지닌 『부스티드 기어』의 밸런스 브레이커가 이 진홍의 갑옷이었다. ……뭐, 실은 한 단계 아래의 갑옷 상태가 『부스티드 기어』의 원래 밸런스 브레이커지만, 여러 경위로 강화 형태인 진홍의 갑옷을 손에 넣은 것이다.

그리고 이제는 주문을 간략화해도 되지만, 주문을 영창하지 않으면 심정적인 원인으로 컨디션이 나쁠 때가 있다. 그래서 여유가 있을 때는 이렇게 읊조리기도 한다.

폭발적으로 상승한 내 아우라를 느낀 건지, 적들이 경계태세를 취했다. 방금까지만 해도 나를 얕보는 듯한 표정을 짓고 있었지만, 지금은 딱딱하게 굳어 있었다.

――하지만 나는 개의치 않으면서 한 명의 악마에게 단숨에 쇄도한 후, 펀치를 날렸다. 적은 내 속도에 전혀 반응하지 못했다.

내 일격은 상대의 방어를 간단히 무너뜨렸고, 그대로 뒤편으로 날려버렸다.

나는 악마 하나를 날려버린 후, 이상한 악마 집단을 다시 쳐다보았다.

"이런 식으로 다 날려버리겠어."

악마들은 전율했다. 그중 한 명이 경악에 찬 목소리로 외쳤다.

"한 방에 당했어?! 말도 안 돼! 우리가 상급 악마 따위에게 밀릴 리가 없는데?!"

"──최상급 악마 클래스인가. 겉모습만 보고 판단하면 안 되는군."

악마의 실력에는 랭크가 있는데……. 하급 클래스, 중급 클래스, 상급 클래스, 최상급 클래스. 마왕 클래스, 초월자 클래스…… 현재 내 파워는 어느 정도 수준이지? 악마 정부에서는 나를 상급 악마로 지정했는데 말이야.

나에게 깃든 드래곤── 적룡제 드래이그가 웃음을 터뜨리며 말했다.

『크크큭. 오래간만에 무시당했군, 파트너. 너를 겨우 상급이나 최상급 클래스의 악마라고 여기는 거야.』

뭐, 겉모습만 보면 평범한 고등학생 같으니 어쩔 수 없을지도 모르지만 말이야.

그런데 드래이그, 지금의 나는 어느 정도 수준이야?

『지금 상태로도 마왕 클래스와 싸우면 선전할 수 있겠지. 하지만, 그 상태가 된다면 초월자 클래스와도 대등하게 싸울 수 있을 거다. 이 녀석들도 이런 곳에서 그 정도 수준의 악마와 마주칠 거라고는 생각도 못했을 거야.』

뭐, 악의를 가지고 덤벼드는 적이라면, 마왕 클래스든 초월자 클래스든 간에 얼마든지 싸워 주겠지만 말이야.

이상한 악마 집단은 한층 더 살의를 뿜으며 나에게 달려들었다. 이번에는 여러 명이 동시에 덤벼들었다.

나는 그 녀석들의 공격을 피하면서, 주먹과 발로 공격을 날려 하나씩 확실하게 쓰러뜨렸다.

"빈틈 발견!"

"죽어!"

어이쿠. 여성 악마가 덤벼들자, 나는 악마의 힘——마력을 손에 모아서 기술을 날릴 타이밍을 살폈다.

나는 여성 악마들의 공격을 피하면서 그 몸에 살며시 손을 댔다.

그리고 나는 즉시 마력을 해방했다. 손가락을 튕기며——.

드레스 브레이크
"양복붕괴!!!"

내가 기술명을 외친 순간, 여성 악마들의 옷이 갈가리 찢겼다! 악마들의 알몸이 내 눈에 들어왔다! 눈보신 잘했습니다!

이것이 내가 지닌 기술 중 하나인, 『드레스 브레이크』다!

내 엉큼한 마음이 승화되어 만들어진 기술이며, 여성 한정으로 몸에 걸친 옷을 갈가리 찢어서 알몸으로 만드는 것이다.

겸사겸사 여성이 자신에게 건 방어 마력과 주력 등도 전부 없어진다. 즉, 여성이 몸에 두른 것이라면 그것이 옷이든 술법이든 전부 무너뜨리는 것이다.

마음만 먹으면 손을 대지 않고도 원거리에서 옷을 파괴할 수 있지만…… 이번에는 그렇게까지 할 필요는 없을 것이다.

대부분의 여성은 옷이 찢어지면 부끄러운 나머지 공격을 멈추지만——.

"이게!"

"하앗!"

여성들은 아랑곳하지 않고 공격을 펼쳤다! 알몸이 된 것을 전혀 개의치 않는 것 같았다!

맙소사! 계속 공격을 펼치는 걸 보면, 그만큼 강렬한 의지가 있는 걸까?

여성 악마들의 행동에 놀란 가운데, 어떤 남성 악마가 나를 향해 강대한 마력을 쏘려고 하는 모습이 내 눈에 들어왔다.

"이걸로 끝이다!"

그 남성 악마는 그렇게 외치면서 거대한 마력 포격을 날렸다.

피할 수도 없겠는걸! 저 규모의 포격이라면 이 공원 밖까지 피해가 미치고 말 것이다!

나는 상대의 공격을 일부러 정면에서 받아냈다!

나에게 명중한 순간, 성대한 폭발음이 울려 퍼지면서 충격이 사방으로 퍼져 나갔다! 흙먼지가 주위에 흩날렸다.

남성 악마는 자신이 날린 공격이 명중하자 웃음을 터뜨렸다.

"하하하! 어떠냐! 최상급 악마라도 이 일격이면——."

아마 상대는 흙먼지가 가라앉으면서 전혀 대미지를 입지 않은 나를 보고, 할 말을 잃은 것이리라.

나는 저 녀석의 공격을 정면에서 받아냈다. 자신의 아우라를 끌어올려서, 상대의 마력 공격을 완벽하게 막아낸 것이다.

뭐, 이 정도는 『부스티드 기어』의 능력 중 하나——『배가』로 방어력을 올리지 않더라도 막아낼 수 있지.

하지만 이 결과는 악마 집단에게 상당한 충격을 준 것 같았으며——.

"……말도 안 돼."

아까만 해도 용감하게 나에게 맞서던 녀석들이 전투를 기피하는 듯한 기색을 보였다.

방금 마력 포격을 날린 녀석은 이 집단 안에서 아우라와 분위기가 가장 강해 보였다. 아마 저들 중에서 가장 강한 자 같았다. 그런 녀석의 공격이 나에게 전혀 대미지를 주지 못하자, 그제야 실력 격차를 이해한 것 같았다.

나는 이상한 악마 집단에게 말했다.

"미안하지만, 나를 쓰러뜨릴 거면 신이라도 데려와. 뭐, 너희 배후에 있는 악신이겠지만 말이야. 아무튼, 너희를 보내줄 수는 없으니 한꺼번에 해치워버리겠어!"

나는 등 뒤의 분출구—— 부스트로 마력을 힘차게 뿜으며 고속으로 돌진했다!

그리고 전의를 상실한 녀석들을 펀치와 킥, 마력탄—— 드래곤샷으로 하나씩 날려버렸다.

이 녀석들은 강해. 숫자도 많으니, 평범한 악마가 이 녀석들과 싸우게 된다면 절망을 느끼겠지.

하지만 이 1년 반—— 나는 지옥 같은 싸움의 나날을 헤쳐 오면서 몇 번이나 육체가 죽는 경험을 했고, 소중한 은인, 은사와 작별을 한 끝에 지금의 파워를 얻었다.

방심도 하지 않아. 그리고 놓치지도 않을 거라고!

나는 몇 분도 채 지나기 전에 모든 적을 해치웠다. 분수 주위에는 대미지를 입고 기절한 절체불명의 악마 집단이 쓰러져 있었다. 공원도 곳곳이 파손되었다.

　빨리 리아스에게 연락을 해서 이 녀석들 포박한 후, 이 공원을 수리해야 한다.

　──아, 맞다.

　나는 보라색 머리 소녀를 쳐다보았다. 적의 공격이 미치지 않도록 최대한 배려하면서 싸웠는데…….

　여자애는 무사……할 줄 알았는데, 옷 곳곳에 피가 묻어 있었다!

　다, 다친 걸까?! 혹시 마력탄에 맞기라도 한 건가?! 아니, 만약 그랬다면 더욱 심각한 대미지를 입었을 것이다.

　내가 다가가서 살펴보니, 아무래도 이상한 악마들이 흘린 피가 튄 것 같았다.

　순백색 드레스의 곳곳에 피가 묻어 있었다.

　게다가 볼에도 피가 묻었다! 예쁜 얼굴이 완전 엉망이 됐네!

　나는 품속에서 손수건을 꺼내려고 했지만…… 갑옷 상태라 지금 바로 꺼낼 수 없다는 것을 그제야 깨달았다.

　"미안! 피가 튀었네……!"

　나는 우선 사과했다.

　하지만 그 소녀는 딱히 감정을 드러내지 않으며 담담하게 손가락으로 볼에 묻은 피를 훔쳤다.

　……이형의 존재인 악마에게 공격을 받고, 진홍의 갑옷을 걸친 나를 보고도, 그녀는 동요하지 않았다. 그 시점에서 이 소녀

가…… 평범한 인간이 아니라는 것은 완전히 이해하고 말았다.

보라색 머리 소녀는 오렌지색 눈동자로 자신의 손에 묻은 새빨간 피를 쳐다보았다.

그리고 조용히 입을 열더니, 이렇게 중얼거렸다.

"아름다운…… 라즈베리보다 선명한, 붉은색……."

그리고, 그녀는 내 갑옷을 쳐다보며, 이어서 말했다.

"――당신의 갑옷, 이 색깔과 똑같은 색."

――윽.

……그 표현을 듣고 나는 데자뷔를 느꼈다.

약 1년 반 전, 이 공원에서 타천사에게 살해당한 나는 피범벅이 되었다. 그때 아름다운 붉은색 머리카락을 지닌 리아스가 나타났었다――.

당시의 나는 내 손을 물들인 피의 색깔이, 리아스의 머리카락과 같은 색깔이라고 느꼈다.

나는 갑옷을 해제한 후, 품에서 손수건을 꺼내서 건네줬다.

"이걸로 닦아. 여자애가 얼굴에 피를 묻히고 있는 건 좀 그렇잖아?"

나는 손수건을 꺼내며 그렇게 말했지만…….

"…………?"

그녀는 영문을 모르겠다는 표정을 지으며 손수건을 받기만 했다.

……신기한 반응을 보이는 애다.

나는 일단 그녀에게서 눈을 뗀 후, 리아스에게 바로 연락을 취했다. 공원에서 이상한 악마들에게 습격을 당했으며, 지금 불가사의한 여자애를 보호하고 있다는 것을 알렸다.

『무슨 일인지 알았어. 지금 바로 갈게.』

나는 그 대답을 들은 후, 전화를 끊었다.

"동료와 연락을 했는데, 너는――."

여자애를 향해 고개를 돌린 바로 그때였다.

――그곳에는 아무도 없었다.

……멀어져 가는 기척은 느껴지지 않았는데…… 뭐가 어떻게 된 거지?

주위를 둘러보았지만, 보라색 머리 여자애는 보이지 않았다. 기척조차 사라졌다.

마치 여우에게 홀리거나, 유령과 마주친 듯한…….

나에게 깃들어 있는 드래이그가 말했다.

『……파트너. 아까 그 여자애 말인데, 인간이 아닌 것 같으면서도 인간의 아우라 또한 느껴졌다.』

이게, 보라색 머리 여자애와의 첫 만남이었다.

고등학교 3학년 2학기――.

여전히 우리 곁에서는 다양한 일들이 일어나고 있었다.

Life.2 상급 악마도, 하렘왕도, 쉽지는 않습니다.

공원에서 리아스 일행과 합류하고 마방진을 이용해 기절한 악마 집단을 명계의 전문기관으로 전이시킨 후, 우리는 집으로 돌아갔다.

그레모리 가문을 통해 명계 정부에도 이번 일을 보고했다.

우리 집 1층 거실에는 그레모리 권속과 그 동료들이 모여 있다. 효도 가의 거실은 지상 6층 지하 3층의 대저택으로 개조하면서 꽤 넓은 공간이 되었기에, 우리는 이곳에서 이야기를 나누곤 했다.

리아스는 다른 이들을 둘러보면서 말했다.

"잇세를 습격한 악마 말인데…… 역시, 그『정체불명의 악마』같아. 아주카 님의 권속으로부터 그런 보고를 받았어."

──윽.

그래. 그 녀석들이 이 마을까지……!

다들 그 말을 듣고 표정을 굳혔다.

"출신을 파악할 수 없는 악마가 명계 각지에서 출몰하고 있다고 했지?"

내가 그렇게 말했다.

그렇다. 현재 명계에서는 출신이 불분명한 악마가 출몰해 각 영토에서 문제를 일으키고 있다. 처음에는 일부였지만, 문제가 발생하는 영역이 점점 넓어지면서 명계에서도 무시할 수 없게 됐다.

　그들을 잡더라도 정체를 알아낼 수가 없었다. 현재 명계는 옛날과 달리 일반 악마에게도 신분증명서를 발급하고 있다. 귀족 계급—— 계급사회가 깊게 뿌리내려 있는 명계에서는 자신의 신분을 증명하는 것이 중요했다.

　하지만 각지에서 폭동을 일으키고 있는 『정체불명의 악마』들은 체포하더라도 신분을 증명할 만한 것을 가지고 있지 않았다.

　명계 구석에서 속세와 동떨어져 살아온 악마와 그 자손들이 갑자기 현 정부에 반기를 들었다……는 거라면, 차라리 나을 텐데 말이다.

　나를 덮친 수수께끼의 악마 집단은 그 '정체불명의 악마들' 인 것이다.

　로스바이세 씨가 생각에 잠긴 듯한 투로 말했다.

　"다른 세력권에서도 출몰하고 있다던데, 드디어 이 쿠오우쵸에도……."

　……이 상황은 전혀 바람직하지 못했다. 명계에서 일어나던 사건이 인간계, 그것도 우리가 사는 마을에서 생기다니…….

　제노비아가 한탄 섞인 한숨을 내쉬었다.

　"이 일대를 감싼 결계는 정말 믿을 게 못 되는걸. 그림 리퍼만이 아니라, 소속도 알 수 없는 악마까지 그냥 들여보내잖아."

제노비아가 말한 그림 리퍼란 전설에 나오는 것처럼 산 자의 혼을 거둬가는 자들이다.

악마와 타천사가 사는 명계의 하층에는 명부라고 하는 올림포스 삼주신 중 하나── 하데스 신이 지배하는 영역이 있다. 그곳은 죽은 자의 혼을 선별하는 장소다. 척박하기 그지없는 땅이며, 생물이 살 수 없다고 한다.

그 명부의 주인인 하데스를 모시는 자들이 바로 그림 리퍼다.

우리와도 나쁜 의미에서 인연이 있으며, 때때로 전투도 치렀다. 하데스가 평화노선인 각 신화체계의 생각에 이의를 제기했기 때문이다.

그런 와중에, 그림 리퍼는 일전에 이 쿠오우쵸에 침입해서 우리를 습격했다. 어떤 방식으로 결계를 돌파한 건지는 알 수 없지만…… 충분히 위협적이었다.

레이벨이 말을 이었다.

"각 세력의 연구자가 힘을 합쳐 고안한 결계인데 말이죠……."

"저도 협력했는데…… 평범한 악마가 뚫는 건 기본적으로 불가능해요."

로스바이세 씨가 이어서 그렇게 말했다.

로스바이세 씨는 우리의 동료가 된 후로 방어와 결계에 관한 마법의 연구에 힘을 쏟았으며, 상당한 결과를 냈다.

아, 마력과 마법은 다른 것이다. 악마가 가지고 태어나는 이능 및 특성을 마력이라고 한다.

그런 악마의 힘과 신이 일으킨 기적을 해석해서, 독자적인 이

론과 방정식으로 재현하려 한 끝에 탄생한 것이 마법이다. 초현실적인 현상을 일으키는 기술이라 할 수 있다.

로스바이세 씨를 비롯해, 내 동료 중에도 마법을 습득한 이가 많다.

그림 리퍼가 언급되자, 리아스가 말했다.

"『정체불명의 악마』들 뒤에 신격을 지닌 자가 있다면, 이 일대의 결계를 돌파한 것도 이상하지는 않아."

강력한 결계를 통과하기 위해서는 그야말로 신의 힘이 필요하며, 그것은 신이 관여하고 있다는 것을 뜻한다.

나는 리아스의 의견에 동의한다는 듯이 고개를 끄덕였다.

"아마 그렇겠지. 명부…… 아니, 지옥의 맹주들이 얽혀있을 거야."

현재, 각 신화체계에서 『지옥』을 관장하는 맹주들과 신들이 세력의 굴레를 뛰어넘어서 결집하고 있다 한다.

그 이유와 의도는…… 명확하게 밝혀지지 않았지만, 아무래도 레이팅 게임 국제대회와 우리를 방해하고 싶은 듯하다.

리아스와 나를 비롯해, 쿠오우 학원 오컬트 연구부의 신구 멤버들은 테러리스트 대책팀『D×D』라는 조직에 속해 있다.

그 조직에는…….

· 소나 시트리 선배를 비롯한 시트리 권속.

· 사이라오그 씨의 대왕 바알 권속.

· 대공 아가레스 차기 당주 시그바이라 씨의 아가레스 권속.

· 천계의 전생천사 『브레이브 세인트』(조커인 듈리오 제수

알도가 필두).

· 이천룡이자 내 라이벌인 『배니싱 드래곤』 백룡황 발리 루시퍼가 이끄는 발리 팀.

· 타천사 조직 『그리고리』 에이전트 부대 『슬래시 독』 팀.

· 이천룡, 적룡제 드래이그, 백룡황 알비온.

· 5대 용왕 중 『기간티스 드래곤』 파브니르, 『미스치버스 드래곤』 우룡, 『프리즌 드래곤』 브리트라.

· 초대 서유기 팀에서 투전승불(초대 손오공).

──등의 호화로운 멤버로 구성되어 있었다.

게다가 요즘 들어 멤버가 늘어나면서, 초대 서유기 팀에 정단사자(초대 저팔계), 금신나한(초대 사오정)이 추가됐다.

초대 저팔계와 초대 사오정은 거의 은퇴한 상태지만, 최근 들어 각 신화체계에서 테러가 이어지는 점, 그리고 국제대회에 참가해 날뛰면서 현역 시절의 감각이 되살아났는지 초대 손오공 할아버지와 함께 복귀하게 됐다.

그리고 서포트 멤버로서 조조가 이끄는 신 영웅파 팀도 새롭게 들어왔다.

그들은 정식 멤버가 아니다. 과거에 큰 소동을 일으켰고 세간의 이목도 있기 때문에 어디까지나 서포트 요원이다. 하지만 전투가 벌어지면 나서기로 되어 있다.

지옥의 맹주들은 이 테러리스트 대책팀 『D×D』를 좋게 여기지 않는 것 같았다.

이쪽에는 이쪽 나름의 주장이 있듯, 저쪽에는 저쪽 나름의 주장── 정의가 있는 걸까. 아자젤 선생님이라면 그렇게 말했을 것이다.

초월적인 존재인 신의 생각을 전생악마이자 원래 인간이었던 나는 상상조차 되지 않았고, 이해가 안 되는 부분도 있을 것이다.

그리고 지옥의 맹주들이 정체불명의 악마들을 부리고 있을지도 모른다는 건…… 아직 억측에 지나지 않지만…….

아무래도 나 말고 다른 멤버도 비슷한 생각을 한 듯, 이리나가 리아스에게 물었다.

"명부에 정체불명의 악마들에 대해 추궁하면 안 돼? 다른 신화의 지옥 관계자에게 물어본다든가 말이야."

리아스는 고개를 저었다.

"현재 일련의 사건에 대해 아는 것이 없다고 잡아떼고 있대. 정체불명의 악마들을 취조해도, 최소한의 정보만 알고 있어. 자기들 보스가 누구인지도 모르나 봐."

나는 리아스의 말을 듣고 고개를 끄덕였다.

"그러고 보니, 아까 나를 습격한 녀석들도 나를 알아보지 못했어."

그 녀석들은 아무것도 모르는 상태에서 보내진 걸지도 모른다.

그렇다면 더 이상한걸. 하데스가 그들을 보냈다 치더라도, 대체 어디서 그들을 스카우트한 걸까?

『찌찌드래곤』을 모르는 악마가 지금까지 대체 어디에 있었던 거지?

레이벨은 표정을 굳혔다.

"보통은 그럴 수 없어요. 『찌찌드래곤』으로서 명계만이 아니라 각 세력에서도 유명한 잇세 님을 모른다는 건, 세간과 동떨어진 환경에서 자라야만 가능할 테니까요."

아케노 씨도 볼에 손을 대며 고개를 갸웃거렸다.

"게다가 모든 세력이 참가하는 레이팅 게임 국제대회에 출전해서 본선까지 올라갔잖아요. 악마라면 모를 수가 없을 거라고 생각해요."

제노비아는 화가 치민 듯한 어조로 말했다.

"흑막이 얼추 밝혀진다면, 바로 쳐들어가고 싶은 지경이야."

리아스는 팔짱을 끼며 한숨을 토했다.

"그래서 해결이 된다면, 『D×D』가 벌써 쳐들어갔을 거야. 상대가 단순한 테러리스트라면, 그렇게 해도 되겠지."

그리고, 리아스는 덧붙여서 말했다.

"——신은 인간계를 비롯해, 여러 사상과 섭리를 관장해. 그러니 함부로 소멸시킬 수 없어……. 이 사건의 배후에 하데스가 있다 할지라도, 상대가 생명의 혼을 관장하는 명부를 지배하는 이상, 쳐들어갔다간 여러모로 성가신 일이 벌어질 거야."

리아스가 방금 말했다시피, 신은 함부로 소멸시킬 수 없다.

일전에 북유럽 신화의 악신 로키가 우리를 습격한 적이 있지만, 그때도 소멸은 시키지 못하고 그냥 체포하기만 했다.

뭐, 당시의 우리 실력으로는 로키를 소멸시킬 수가 없었던 거지만…….

그리고 신은 소멸을 당할지라도, 그 신을 믿는 인간의 신앙을 통해 오랜 시간을 들여 부활할 수도 있다.

코네코가 쿠키를 먹은 후, 말했다.

"……차라리 그 해골 신을 확 봉인해버리는 게 빠른 해결책일지도 모르겠네요."

코네코는 봉인술도 습득했으며, 사룡과의 싸움에서 흉악한 드래곤을 최종적으로 봉인한 적도 있다.

"코, 코네코는 과격하네……."

겉보기에는 미소녀지만, 그레모리의 남자 멤버인 하프 뱀파이어—— 개스퍼가 쓴웃음을 지었다.

레이벨은 친구인 코네코의 의견을 듣고 고개를 끄덕였다.

"그런 의견도 나왔다고 들었어요. 게다가 그 의견을 지지하는 목소리가 날이 갈수록 커지고 있다더군요. 여차하면 저도 시로네의 의견에 찬성할 거예요."

지옥의 맹주들을 쓰러뜨린 후, 봉인한다. 뭐, 봉인한 적대관계의 신을 아군인 신이 관리한다면 안심이 될 것이다. 실제로 배틀이 벌어진다면 그것이 최선의 해답이리라.

키바는 근본적인 의문을 입에 담았다.

"이렇게 되면 눈앞의 불순분자인 출신불명의 악마가 어디에서 왔는지 신경 쓰이는군요. 명계의…… 구석…… 그것도 레이벨 양이 말한 것처럼 완전히 세간과 동떨어진 곳에서 온 걸까요?"

리아스는 찻잔의 홍차를 한 모금 마신 후, 말했다.

"아주카 님께서도 그 점에 대한 자세한 이야기는 언급하시지 않으셨어. ……각지에 나타난 정체불명의 악마들……."

다들 난처한 표정을 지으며 '으음……'하고 신음을 흘렸을 때였다.

거실 한편에서 조용히 홍차를 즐기고 있던 우람한 체구의 노인이 입을 열었다.

"흠."

"""예하."""

나를 비롯해 이 자리에 있는 이들이 그분의 의견에 귀를 기울였다.

저 노인의 이름은 바스코 스트라다 예하.

87세의 노인이지만…… 그 육체는 젊고 우람했다. 두터운 근육을 지닌 주름투성이 얼굴의 노인이라는 엄청난 개성의 소유자지만, 이 분은 아시아, 제노비아, 이리나, 키바 등, 그리스도 교회 출신들에게 있어 우두머리 격인 존재다.

원래 사제 추기경이었으며, 전사 육성기관의 필요성을 주장하면서 전사들을 지도해 온, 교회의 중진이다.

제노비아가 지닌 성검 뒤랑달의 예전 소유자이며, 순수한 인간 중에서 아직도 최강급으로 여겨지고 있는 전설의 전사다.

우리도 신세를 진 은인 중 한 명이다. 특히 아시아를 비롯해 교회 출신인 자들은 저분을 절대적으로 신뢰하고 있다.

현재, 레이팅 게임 국제대회에 리아스의 팀 멤버로 참가하고 있으며, 이곳 쿠오우쵸에 머물고 있다.

또한 때때로 이런 대화에 참가하며, 귀중한 조언을 해 주셨다.

이번에도 다들 예하의 말에 귀를 기울였다.

스트라다 예하는 손가락을 세 개 내밀면서 말씀하셨다.

"새로운 악마가 생겨날 방법은 현재 세 개뿐이지. 하나는 『이블 피스』를 이용한 전생술이네. 하지만 그자들에게는 전생악마의 반응이 없다고 들었어."

예하는 손가락을 두 개로 줄였다.

"두 번째는 클론 기술이네. 그리고리나 악마 측의 기술이 유출되어서 지옥의 맹주들에게 이용되었다면 가능은 하겠지만, 이것 또한 근원이 된 악마의 유전자로 판명이 되겠지. 하지만 그것도 아니라고 들었다네. 그렇다면———."

예하는 하나만 남은 손가락을 내밀며 말했다.

"———악마의 어머니, 릴리스를 이용하는 것뿐이지."

이 자리에 있는 순혈 악마, 리아스와 레이벨이 경악했다.

"그, 그럴 리가……!!"

리아스는 그럴 리가 없다는 말을 하고 싶은 것 같지만…… 스트라다 예하는 이어서 말했다.

"각 명문귀족의 초대라 불리는 악마를 낳은 존재. 정체를 알 수 없는 악마를 탄생시킬 수 있는 자는 릴리스뿐이겠지. ……물론, 이건 노인의 의견에 지나지 않지만 말이야. 하지만, 리제빔 리반루시퍼가 일으킨 사건은 아직 기억에 생생히 남아 있지. 그리고 그는 자신의 어머니인 릴리스에게 집착했다고 들었네."

리아스와 레이벨은 이 의견을 듣고 약간 당혹스러워했지만,

납득이 되는 부분도 있는지 생각에 잠겼다.

그리고 잠시 후, 리아스가 말했다.

"하데스 측에서 릴리스 님을 찾았다는 거야……? 하지만, 전 승에 따르면 릴리스 님은 이미 소멸……."

스트라다 예하는 덧붙여 말했다.

"공주여. 역사라는 건 얼마든지 뜯어고칠 수 있는 거라네. 나를 비롯한 신도도 해 왔던 일이지. 악마 세계에서도 고대의 문헌은 소실되지 않았나. 공중도시 아그리아스의 전승도 완전치 않았으니까 말이지."

예하가 그렇게 말하자, 다들 침묵에 잠겼다.

……나는 악마의 어머니 릴리스에 대해 잘 알지 못한다.

그 이름을 지닌 별개의 존재라면 알고 있으며, 그 애는 우리 집에서 살고 있지만……. 아이러니하게도 그 애도 리제빔과 관련이 있는데…….

리제빔 리반 루시퍼는 초대 마왕 루시퍼의 아들이자, 테러리스트의 두목이었던 최악의 망할 자식이었다. 내 라이벌인 발리의 할아버지이기도 했다.

흉악 그 자체인 전설의 사룡, 그리고 최악의 생물──『아포칼립틱 비스트』 트라이헥사를 부활시켜서 각 신화체계의 세계에 괴멸적인 피해를 입혔다.

막대한 희생을 치른 끝에 사룡들과 리제빔 본인을 해치웠지만……. 전설의 생물인 트라이헥사만은 해치우지 못했다. 결국 격리 결계 영역이라는 특별한 필드를 아공간에 만든 후, 그곳에 트라이헥사와 토벌대를 보낸다는 형태로 그 싸움은 종결된 것이다.

토벌대에는 각 신화체계에서 손꼽히는 실력자들이 속해 있으며, 지금도 기나긴 세월에 거쳐 트라이헥사와 싸우고 있다.

그 토벌대에는…… 내 은사와 은인도 다수 속해 있다.

그런 리제빔의 어머니이자 초대 루시퍼의 아내가 바로 악마의 어머니, 릴리스인 것이다.

……그런 릴리스가 아직 존재하며, 지옥의 맹주들이 찾아내서 정체불명의 악마들을 탄생시키는데 이용하고 있다……?

스트라다 예하는 고민에 잠긴 우리를 보며 웃음을 흘렸다.

"――이건 어디까지나 이 늙은이의 상상에 불과하다네. 마왕 아주카 바알제붑과 고대의 악마들 또한, 상상…… 아니, 파악하고 있는 안건일지도 모르지."

우리는 예하의 말을 듣고 나름대로 생각에 잠겼지만, 우리끼리 답을 낼 수가 없었다. 결국 이날은 앞으로 어떤 식으로 경계할 것인지, 그리고 정체불명의 악마와 마주쳤을 때의 대책에 관해서만 논의했다.

마지막으로 내가 만났던 보라색 머리 소녀에 대해서도 이야기를 나눴다.

리아스와 레이벨, 그리고 다른 동료들의 커넥션을 통해 조사를 해 보기로 했는데…… 그 애는 대체 정체가 뭘까?

어찌 보면 정체불명의 악마보다도 더 정체를 알 수 없는 존재였다.

그날의 회합은 그렇게 끝났다.

정체불명의 악마들의 정체가 무엇이든, 누군가의 의도에 따라 행동하든 간에, 내 동료와 가족, 그리고 이 마을에 사는 이들에게 해를 끼치려 한다면── 해치울 뿐이다. 이 심플하고 알기 쉬운 결심만은 반드시 지키자고 나는 마음속으로 다시 맹세했다.

──그렇게 회의를 마치고 목욕했으니, 이제 자기만 하면 된다.

저택으로 이 집을 개조하면서 내 방 또한 엄청 넓어졌으며, 지붕이 달린 커다란 침대도 놓였다.

얼마 전까지는 이 커다란 침대에서 리아스, 아시아와 나란히 누워서 잤지만…… 현재는 예전보다 더 큰 침대가 놓여 있다.

왜냐하면──.

"오늘이야말로 잇세 옆에서 자겠어!"

"아냐, 내가 달링 옆에서 잘 거야!"

"잇세 옆에서 자면 타락할 거다!"

"엉큼한 분위기만 안 되면 괜찮거든?!"

"에로에로 천사인 이리나가 어떻게 참아!"

"그러는 너야말로 에로에로 전사잖아!"

"그래도 상관없다!"

"사, 상관없어……?!"

커다란 침대 위에서는 제노비아와 이리나가 말다툼을 하고 있었다.

요즘 들어 내가 잘 때의 상황이 달라졌으며, 셋이서 같이 자는 게 아니라 다섯이 함께 자는 게 주류가 되고 있다.

기본적으로 나, 리아스, 아시아가 같이 자며, 어떤 날에는 아케노 씨, 제노비아, 이리나가 쳐들어왔고, 또 어떤 날에는 코네코, 쿠로카 자매가, 또 어떤 날에는 레이벨과 로스바이세 씨가 참전하기도 했다.

즉, 함께 자는 멤버가 늘어난 것이다.

특히 내 옆에서 자는 것을 중요시하며, 툭하면 그것 때문에 다퉜다. 일단 여성들 사이에서 차례가 정해져 있는 것 같긴 한데…… 그 차례가 붕괴되면서 내가 다른 멤버와 잘 때도 있다.

하지만 정말 감사한 일이다! 밝히는 나로선 정말 바라마지 않는 일이지만…….

"이이익."

"으으으."

제노비아와 이리나가 서로를 노려보았다. 참고로 두 사람 다 팬티 한 장만 걸치고 있었다. 크고 훌륭한 가슴이 훤히 드러나 있네요! 말다툼을 벌일 때마다 출렁거리는 가슴을 보니, 눈보신이 됩니다!

이런 식으로 자기 전에 다툼이 벌어지니, 좀처럼 잠을 잘 수가 없어서 난처할 때도 많다! 아, 그래도 오래간만에 리아스와도 같이 잘 수 있는 건 참 기뻐!

"지, 진정해요. 제노비아 씨, 이리나 씨."

아시아가 두 사람을 말렸다.

"하아, 어쩔 수 없네. 그럼 오늘은 너희가 잇세 옆에서 자."

리아스는 한숨을 내쉬며 그런 제안을 했다.

여성들의 우두머리 격인 리아스가 그런 식으로 차분하게 다른 이들을 달랬지만…… 예외도 있었다——.

느닷없이 끝내주는 감촉이 내 등을 통해 느껴졌다!

"우후후, 서방님과 몸을 포개고 잔다는 방법도 있군요."

그런 관능적인 발언을 한 사람은 바로 아케노 씨였다! 내 등에 딱 달라붙어 있어어어어엇!

아아아아아아아, 내 등에 아케노 씨의 말랑말랑한 가슴이이이이이이이이이이이이잇!

리아스는 바로 그 예외인 아케노 씨의 등장에 놀라더니, 갑자기 불만 섞인 표정을 지었다!

"아케노! 오늘은 네 차례가 아니잖아!"

리아스가 그렇게 말했지만, 아케노 씨는 시치미를 떼면서 말했다.

"사랑하는 잇세 군 성분이 바닥이 나버렸답니다. 오늘 밤에 이렇게 보충을 안 하면, 내일 하루를 버티지 못할 거예요."

아케노 씨는 내 몸에 팔을 두르더니, 절대 떨어지지 않겠다는 의사표시를 했다!

리아스는 귀엽게 볼을 부풀리며 아케노 씨에게 따졌다!

"안 돼! 나도 잇세 옆에서 매일 자고 싶단 말이야!"

"그래도 매일 한 침대에서 잠을 자잖아요? 저는 차례를 기다려야 한단 말이에요……. 저기, 서방님? 제 가슴을 매일 만지고 싶죠?"

아케노 씨가 달콤한 목소리로 그렇게 말하자…… 뇌가 녹아버릴 것만 같아!

리아스와 아케노 씨가 불꽃 튀는 눈싸움을 벌이는 가운데, 그녀가 등장했다!

"잇세! 같이 자러 왔느냥!"

문을 힘차게 열어젖히며 나타난 이는 흑발과 고양이 귀, 두 개의 꼬리라는 특징을 지닌 미녀! 네코마타(猫又)인 쿠로카였다! 코네코의 친언니다! 내 장래의 아내 중 한 명이기도 했다.

다이너마이트 보디의 소유자이자 성격 또한 대담한 그녀가 이 여자들의 싸움에 난입했다!

침대에 뛰어든 그녀는 그대로 내 품을 향해 다이빙을 감행했다! 쿠로카의 풍만한 가슴이 내 안면에 닿았다! 말랑~ 하는 끝내주는 감촉이 내 얼굴을 감쌌어!

쿠로카는 자신의 가슴으로 내 얼굴을 감싸면서 그렇게 말했다.

"……쿠로카 언니. 리아스 언니가 만든 순서를 지켜주세요. 저도 참고 있단 말이에요."

코네코는 나한테서 쿠로카를 떼어내려 하면서 그렇게 말했다.

여자애들이 점점 몰려드는걸…….

──문득 문 쪽을 쳐다보니, 잠옷 차림의 로스바이세 씨가 방 안을 몰래 쳐다보고 있었다.

"……저, 저도 잇세 군과 같이 자고 싶지만…… 오늘은 제 차례가 아니니까…… 하지만, 다들 대담하고…… 하지만, 저는 그렇게까지…… 그, 그래도……!"

뭐랄까, 마음속 유혹과 싸우고 있는 눈치였다. 로스바이세 씨는 내성적인 편이니까, 솔선해서 이런 싸움에 참가하지 않는다. 하지만 침대 위에 모여 있는 엄청난 인원을 보고, 흔들리기 시작한 걸지도 모른다.

활짝 열린 문을 통해 레이벨도 나타났다. 소동이 벌어진 것을 알고 뛰어온 것 같았다.

"여, 여러분! 진정하세요! 서열 넘버원이신 리아스 님이 정하신 룰은 지켜야만 해요! 누구든 잇세 님과 자고 싶겠죠! 시, 실은 저도……!"

레이벨도 다른 사람들을 말리기 위해 침대에 올라왔다!

침대에는 나, 리아스, 아시아, 아케노 씨, 코네코, 쿠로카, 제노비아, 이리나, 로스바이세 씨, 레이벨, 이렇게 열 명이나…….

열 명이나 올라왔는데도 아직 여유가 있는, 도입한 지 얼마 안되는 이 거대 침대도 대단하다고 생각하지만 말이야!

이 상황에서 드디어 아시아도 폭발했다! 잠옷을 벗어던지며 내 품에 다이빙한 것이다!

"잇세 씨의 옆자리는 제 거예요!"

나는 몸을 날린 아시아를 받아주면서 쓴웃음을 지었다.

리아스도 한숨을 내쉬더니, "그럼 다 같이 자도록 하자……."
하고 타협안을 내놨고, 결국 이날은 다 같이 자기로 했다.

……참고로 이런 상황은 오늘 처음 발생한 게 아니다.

리아스는 이런 상황이 벌어질 것을 예상해서 이렇게 큰 침대
를 준비했을 것이다.

정체불명의 악마 사건 때문에 불안하기도 하지만, 이런 평화
가 매우 고맙게 느껴졌다.

나는 제노비아에게 걷어차여서 침대에서 떨어지지 않기를 빌
며, 다른 이들과 함께 잠들었다——.

― ○ ● ○ ―

쿠오우쵸 일대에서 정체불명의 악마에 대비한 경계가 강화된
와중에도, 악마 영업은 계속됐다.

그날은 단골손님 중 한 명의 집으로 향했다. 그 사람은 모리사
와 씨가 아니다.

한밤중에 자전거를 타고 찾아간 곳은 쿠오우 학원에서 꽤 떨
어진 곳에 있는 어느 맨션이었다.

나는 문 앞에 선 후, 벨을 눌렀다.

그러자 인터폰에서 목소리가 흘러나왔다.

『열려있어뇨. 들어와뇨.』

평소와 다름없는 대답이었다. 나는 문을 열고 현관 안으로 들
어갔다.

안에서 기다리고 있던 이는——— 우락부락한 남성이었다. 하지만, 그저 덩치가 좋기만 한 남성은 아니었다.

그는 애니메이션『마법소녀 밀키 트라이얼8 셀레스티얼 스타즈』에 나오는 마법소녀가 입는 의상을 입고 있었다!

"어서와뇨~. 악마님, 기다리고 있었다뇨."

우람한 육체를 지닌 코스프레 차림의 남성——— 아니, 사나이! 정확하게는 여장 사나이다!

이 사람이 내 단골 중 한 명인 변태…… 아니, 마법소녀 마니아다!

겉모습은 이렇지만, 눈동자는 순진무구하게 빛나고 있거든?

말끝의 '뇨'가 뭐냐고? 그런 건 아무래도 상관없잖아. 겉모습이 더 무시무시하니까, 그런 건 개의치 말라고.

이 사람의 이름은『미르땅』. 그것 말고는 아는 게 없으며, 알고 싶지도 않다. 알아선 안 될 듯한 느낌이 들었다.

미르땅은 내가『악마영업』을 갓 시작했을 때부터 이용해 준 단골손님이다. 모리사와 씨와 거의 같은 시기에 만났다.

양쪽 다 변태에 가까운데, 아무래도 나를 부르는 손님 중에는 그런 이들이 많은 것 같았다. 내가 에로에로하기 때문일까.

하지만 이 마법소녀 복장을 보니, 내 은인인 어떤 여성이 생각났다. 그분이 이 시리즈를 참 좋아했지. 신 시리즈인『마법소녀 밀키 트라이얼8 셀레스티얼 스타즈』를 녹화해 두라고 가족에게 부탁했을 정도로 말이야. 귀환 후에 보려는 거겠지.

나는 미르땅에게 물었다.

"안녕, 미르땅. 오늘 의뢰는 뭐야?"

그러고 보니 미르땅이 꽤 오래간만에 의뢰를 한 것 같네. 한때는 거의 정기적으로 나를 불렀는데, 올해 여름부터는 의뢰를 하지 않았어.

미르땅은 마법의 지팡이(장난감)를 휘두르면서 나에게 말했다.

"악마 님. 미르땅의 마법을 봐줬으면 한다뇨!"

"응. 마법 말이구나."

뭐, 마법이라는 이름의 완력일 것이다. 알고 지낸 지 1년이 넘었거든. 그 정도는 안다고. 저 우람한 팔로 또 폭력을 휘두르려는 거지?

좋아! 의자든, 책상이든, 뭐든 박살을 내 보라고! 근육은 사람을 배신하지 않는 법이거든!

미르땅은 마법의 지팡이를 휘두르며 그 자리에서 몸을 회전시켰다.

부탁이니까 근육질의 몸을 회전시키지 말라고. 원을 그리며 발차기를 날리려는 건 줄 알았잖아. 내 지인 중에는 그런 공격이 특기인 녀석이 많아서 그런지, 반사적으로 방어할 뻔했다고.

"밀키 스파이러어어어얼, 익스큐젼!!!"

미르땅이 그렇게 외친 바로 그때였다.

아니나 다를까! 지팡이의 끝부분에 마방진이 생겨났다!

마방진에서 얼음 알갱이 몇 개가 튀어나왔다!

"——윽?!"

나는 이 결과를 보고 놀랄 수밖에 없었다! 당연했다! 미르땅은 진짜 마법과 인연이 없……지는 않지만, 쓸 수 없었단 말이야!

하지만 방금 그건 틀림없는 마법의 마방진이다! 얼음 알갱이가 마방진에서 튀어나왔다고!

내가 경악한 바로 그때, 제삼자의 목소리가 들렸다.

"홋홋홋. 그래. 미르땅은 마법사가 됐어."

그 목소리가 들린 곳을 향해 고개를 돌려보니, 안경을 쓴 키류의 모습이 눈에 들어왔다!

내 클래스메이트인 키류다! 네가 왜 여기 있는 거야?!

"키류?! 네가 왜 여기 있는 건데?!"

미르땅은 키류를 소개하는 듯한 어조로 말했다.

"미르땅의 사저다뇨."

…………

…………뭐? 사, 사저?

상황이 전혀 이해가 안 되는 가운데…… 나는 깜짝 놀란 목소리로 고함을 질렀다.

"사저라니?! 저, 저기, 키류…… 미안한데, 뭐가 어떻게 된 건지…….”

진짜 하나도 이해가 안 된다고!

미르땅은 마법을 썼고, 키류가 여기에 있어! 게다가 키류가 미르땅의 사저라고?!

키류는 장난기 섞인 미소를 짓더니, 나를 향해 손을 내밀었다.

"그러니까 말이지?——이렇게 된 거야."

바로 그때, 키류의 손끝에 마방진이 생겨났다!

"——윽. 그, 그건 마법이잖아! 키류, 너……?!"

내가 경악을 하자, 키류는 재미있어 죽겠다는 듯이 웃음을 흘렸다.

"히히히. 맞아. 나와 미르땅은 말이야. 요즘 마법을 배우고 있어."

마법을 배운다고오오오오오오오오오오오오!? 키, 키류가?! 이, 이 녀석은 우리의 정체를 알고 있는 몇 안 되는 학교 친구이지만……. 뜬금없이, 마법을 배우기 시작했잖아! 예상조차 못했다고!

"누구한테 배우는 건데?! 혹시 로스바이세 씨야?!"

내가 그렇게 묻자, 키류는 고개를 저었다.

"아냐. 로스바이세 쌤의 제자가 되지는 않았어."

"그, 그럼, 르페이야?"

마법을 가르쳐 주는 스승이 로스바이세 씨가 아니라면, 이 녀석과 일면식이 있는 마법사는 르페이와 쿠로카 정도다.

하지만, 키류는 내 말을 부정했다.

"으음~. 르페이 양한테도 제자로 받아달라는 부탁을 해 봤는데, 남을 가르칠 수준이 아니라며 거절하지 뭐야. 그리고 쿠로카 언니도 귀찮다며 거절했어."

뭐, 쿠로카라면 거절하겠지. 그 녀석은 남한테 마법을 가르칠 성격이 아니거든. 끈질기게 부탁하면 가르쳐 주겠지만, 상당한 대가를 요구할 거라고.

"그럼…… 대체 스승이 누구야?"

"르페이 양이 소개해 준 분인데, 바로 레이니 선생님이야."

──윽.

…………그렇게 된 거냐~.

나는 납득을 하며 손으로 얼굴을 가렸다.

미르땅이 여성스럽게 두 손을 모으며 깍지를 끼더니, 눈을 반짝이며 말했다.

"엄청 아름다운 마법사다뇨……. 그야말로, 이상적인 마법사 사부님이라는 느낌이었다뇨!"

레이니 선생님. 즉, 라비니아 레이니 씨다! 나도 아는 마녀다.

마법사의 협회 중 하나──『그라우 차오베라』 소속의 유명 마법사이며, 타천사 조직 그리고리에 속한 『슬래시 독』 팀의 일원이기도 했다.

내 라이벌인 발리 루시퍼의 누나 격인 존재이며, 미르땅이 방금 말했다시피 엄청난 미녀 누님이다.

키류도 고개를 끄덕이며 말했다.

"레이니 선생님은 엄청난 미녀야! 한눈에 완전 반해버렸다니깐. 그래서 바로 제자로 받아달라고 부탁드렸어. 듣자하니 『그라우 차오베라』라는 마술협회는 다른 곳에 비해 입회 조건이 까다롭지 않대. 그래서 레이니 선생님한테서 마법을 배우고 있어. 미르땅도 나와 같은 시기에 제자가 됐는데, 간발의 차이로 내가 선배가 된 거야."

……그, 그렇게 된 거구나.

키류가 마법을 배우고 싶어서 친분이 있는 마법사에게 부탁을 했더니, 라비니아 씨를 소개받았고, 같은 시기에 미르땅도 라비니아 씨의 제자가 된 건가…….

미르땅이 어떻게 라비니아 씨를 알게 된 건지는 따로 물어보고 싶지만……. 뭐, 미르땅이라면 그 정도 운명력은 지니고 있을 거라는 생각이 들었다.

아무튼, 자초지종을 안 나는 키류에게 물어보았다.

"너, 마법사가 되어서 뭘 할 건데?"

키류는 화려한 포즈를 취하며 나에게 말했다.

"마법소녀가 되어서 세상을 구할 거야!"

"역시 언니다뇨! 그게 마법소녀의 본분이다뇨오오오오오!"

미르땅은 엄청 감동한 것 같은데…….

키류는 어깨를 으쓱하면서 말을 이었다.

"……이런 것도 나쁘지는 않겠지만 말이야. 뭐, 솔직하게 말할게. 너나 아시아, 그리고 다른 애들의 정체를 알게 됐더니, 이대로 아무것도 모르는 것보다는 어느 정도는 알아두는 편이 아시아나 다른 애들에게 도움이 될 것 같다는 생각이 들었어."

──윽.

……그래. 아시아를 위해서였어. 하긴, 이 녀석은 친구를 아끼잖아.

그래서 아시아와 제노비아, 이리나가 일상생활 쪽으로 이 녀석에게 의지하는 거야.

키류는 음흉한 표정을 지으며 내 등을 두드렸다.

"그러니까, 너와도 꽤 오랫동안 알고 지낼지도 몰라. 그렇게 되면 잘 부탁해♪"

미르땅도 뒤이어 내 등을 호쾌하게 두드리며 입을 열었다.

"악마님, 잘 부탁한다뇨♪"

미르땅의 손바닥은 엄청 아팠지만…… 키류와 미르땅이라면 엄청난 콤비가 될지도 모른다…….

라비니아 레이니 씨는 무슨 생각으로 이 두 사람을 제자로 받은 걸까……?

뭐, 뭐어, 착해 보이는 그 사람이라면 별생각 없이 두 사람을 제자로 받았을지도 몰라…….

그리고 그 사람이라면 나쁜 걸 가르칠 것 같지는 않으니까, 안심해도 되겠지.

……그저, 키류가 방금 말했다시피, 나는 키류와 미르땅과도 매우 오랫동안 알고 지낼 거라는 느낌이 들었다.

두 사람에게 자초지종을 들은 후, 나는 마음을 진정시키면서 의뢰에 관해 물었다.

"그런데 미르땅. 나한테 의뢰하고 싶은 게 뭐야?"

내가 질문을 던지자, 미르땅은 진지한 목소리로, 그리고 키류는 장난기 섞인 목소리로 동시에 말했다.

""마법 실험을 도와줘(뇨).""

………….

…………진짜 어이없는 의뢰잖아!

결국, 도와주기로 했는데⋯⋯. 그건 그렇고, 마법소녀를 동경하는 여장 사나이 미르땅, 그리고 우리의 정체를 아는 키류가 마법을 익히게 될 줄이야.

아직 실패할 때가 많은 이 두 사람의 마법 실험을 도와주는 것이 끝난 후, 키류가 말했다.

"아직 다른 애들에게는 비밀로 해 줘. 좀 능숙해진 후에 내가 이야기할 생각이거든."

"그래. 알았어."

그렇게 말한 나는 두 사람과 작별한 후, 자전거를 몰며 내 사무소로 향했다.

바로 그때, 내 귓가에 긴급연락용 마방진이 생겨났다.

그리고 리아스가 그 마방진 너머에서 진지한 목소리로 말했다.

『잇세. 마왕님과 대공 아가레스로부터 명령이 하달됐어. 예의 그 정체불명의 악마가 관할지역에 출몰했대. ──토벌하러 가자.』

"알았어."

나는 그렇게 대답했다.

⋯⋯그 악마들이 나타난 건가. 뭐가 목적인지는 모르겠지만, 내 주위에서 그런 놈들이 난동을 부리면 곤란하지.

나는 전이 마방진으로 자전거를 사무소의 주차장에 보낸 후, 드래곤의 날개를 출현시키며 밤하늘로 날아올랐다──.

−○●○−

내가 향한 곳은 쿠오우쵸에서 역으로 세 개 정도 떨어진 곳에 있는 마을이다.

시가지와 꽤 떨어진 그곳에서는 사람이 살지 않게 된 지 꽤 되어 보이는 민가가 세 채 정도 있었다.

마당에는 풀이 무성하게 자라고 있었고, 외벽의 페인트도 곳곳이 벗겨져 있었으며, 창문 또한 깨져 있었다.

내 동료들은 그런 민가에서 약간 떨어진 곳에 모여 있었다.

현 그레모리 권속(리아스, 아케노 씨, 코네코, 키바, 개스퍼)과 효도 잇세이 권속(나, 아시아, 제노비아, 레이벨, 로스바이세 씨), 플러스 이리나.

또한 긴 금발과 진홍색 눈동자를 지녔고, 그림 속 미소녀 같아 보일 만큼 아름다운 얼굴을 지닌 여자애── 에르멘힐데 카른슈타인도 있었다.

"첩보활동을 마치고 돌아오자마자 이런 사태가 벌어지다니…… 정말 한 치 앞도 알 수 없는 상황이군요."

에르멘힐데는 그렇게 말했다.

그녀는 인간과 흡혈귀의 혼혈인 개스퍼와 다르게, 순수한 흡혈귀다. 게다가 명문 가문의 아가씨다.

복잡한 경위가 있었지만 지금은 효도 가에서 홈스테이 중이며, 우리와 함께 행동하면서 다양한 정보를 얻는 것이 목적이다. 그녀의 꿈은 리제빔에게 파괴된 고향의 부흥, 그리고 예전

이상의 발전이다.

처음 만났을 때만 해도 거만하고 고압적인 귀족이었지만, 이런저런 일을 겪으면서 성격이 꽤 원만해지면서 상당히 귀여워졌다.

평소에는 내 사무소 일도 도와주고 있으며, 한동안 첩보활동을 위해 자리를 비웠다.

그들 외에도 아군은 있었다.

하늘에서 거대한 생물――드래곤이 내려왔다.

그 드래곤은 내 앞에서 공손히 무릎을 꿇더니, 이렇게 말했다.

"주군이시여. 보버 탄닌, 방금 귀환했습니다."

이 거대한 드래곤은 상급 악마가 된 내 첫 신하――보버다. 드래곤으로서의 내 스승인 전직 용왕――탄닌 아저씨의 친아들이기도 했다.

나에게 강한 흥미와 존경심을 품고 있으며, 내가 상급 악마가 되자마자 찾아와서 신하로 삼아 달라고 간청했다.

그런 그의 간청을 거절할 수도 없었기에, 결국 내 첫 신하로 삼은 것이다.

보버는 레이벨이 지시한 일을 처리하러 명계에 갔으며, 방금 귀환했다.

나는 동료들을 확인한 후, 리아스에게 물었다.

"오늘 멤버는 이걸로 전부인 거야?"

리아스는 고개를 끄덕였다.

"그래. 소나와 다른 『D×D』 멤버들은 다른 중요한 일이 있거나, 우리와 비슷한 이유로 다른 곳으로 출동했어."

……정체불명의 악마 토벌은 다른 곳에서도 진행되고 있는 건가.

나는 눈앞에 있는 폐가를 다시 쳐다보았다.

……외부에서도 악마의 기운과 아우라가 느껴지는걸. 게다가 숫자가 상당해. 집 안에서만이 아니라 우리 등 뒤에서도 기운이 느껴져.

다른 이들도 그것을 느낀 건지 주위를 살피기 시작했다.

리아스가 폐가 앞에 서더니, 당당한 목소리로 말했다.

"이제 그만 나와. 너희가 여기에 잠복해 있다는 건 이미 알고 있어."

리아스의 목소리가 주위에 울려 퍼졌다.

잠시 동안 정적이 흘렀다. ……하지만 곧 집안, 그리고 우리 주위에서 수상한 자들이 모습을 드러냈다. 인간 형태를 한 악마도 있는가 하면, 몬스터 같은 모습을 한 악마도 있다.

그 숫자는…… 열, 스물, 서른…… 아니, 백 명이 넘으려나?

뭐가 이렇게 많아! 게다가 하급 악마나 중급 악마 수준의 아우라를 지닌 녀석은 하나도 없어. 전부 상급 악마 수준의 아우라를 지녔다고!

말도 안 돼. 이런 변경에 상급 악마가 백 명이나 모였어?

안 그래도 악마는 먼 옛날에 3대 세력 사이에서 벌어진 전쟁 탓에 숫자가 줄었는데, 그중에서도 귀중한 상급 악마 클래스가 이런 곳에 백 명 넘게 모여 있다는 건 말도 안 되는 일이라고!

이 녀석들이 예전에 들은 그 정체불명의 악마겠지만, 전원이 상급 악마 클래스라면 이 숫자는 말도 안 된다!

스트라다 예하께서 말씀하셨던 것처럼, 악마의 어머니인 릴리스가 살아있는 걸까?

악마들은 여유 넘치는 표정을 지으며 히죽거리고 있었다. 역시 우리를 모르는 것 같았다. 안다면 눈썹 휘날리게 도망쳤을 테니까 말이다.

1년 전이라면 이 숫자는 우리에게 상당히 위협적일 것이다. 하지만 지금의 우리에게는——.

대표자로 보이는 남성 악마가 우리에게 말했다.

"악마와 천사와 드래곤에 흡혈귀까지 있군. 우리에게 무슨 볼일이지?"

리아스는 위풍당당한 어조로 말했다.

"오히려 내가 묻고 싶네. 당신들은 이런 곳에서 뭘 하고 있는 거야? 목적을 말한다면 목숨은 살려줄게. 우리는 이미 당신들의 생사를 불문에 붙인다는 지시를 받았어."

저 녀석들은 리아스의 경고를 듣더니 웃음을 터뜨렸다.

아~ 교섭은 결렬될 것 같은 분위기네. 이 녀석들의 태도를 본 제노비아가 이미 성검 뒤랑달을 뽑아들며 전투태세를 취했어.

대표자격으로 보이는 악마가 말했다.

"그저 이 주위에 있는 악마와 천사들의 행동을 살피거나, 때로는 공격하라는 지시를 받았다."

"누구한테서?"

리아스가 묻자, 그 악마는…….

"나도 알고 싶군. 머릿속에 그런 명령만 있어서 말이지. 그것 말고는…… 이 힘을 마음껏 휘두르고 싶다는 마음을 억제할 수 없다는 걸까?"

그 남자가 그렇게 말하자, 주위에 있는 악마들이 기분 나쁜 웃음을 흘렸다.

이 녀석들은 자기 자신이 누구인지, 그리고 명령을 내린 자가 누구인지 모르는 건가. 영문을 모르겠지만, 적의를 가지고 우리에게 덤벼든다면…… 눈감아줄 수 없다.

리아스가 위엄이 느껴지는 목소리로 말했다.

"그 어떤 이유가 있더라도, 자신의 욕망만을 만족시키기 위해 힘을 휘두르는 자는 만 번 죽어 마땅해. 그레모리 공작의 이름을 걸고, 당신들을—— 없애버리겠어!"

그 말이 싸움의 시작을 알리는 봉화가 됐다!

악마 무리가 사방팔방에서 우리를 덮쳤다!

나는 재빨리 진홍의 갑옷을 걸치며 전투태세를 취했다!

우선 우리의 돌격대장이라 할 수 있는 제노비아와 키바가 전방에서 달려드는 악마들을 검으로 베어 넘겼다. 악마인 두 사람의 랭크는 『나이트』다. 『나이트』의 특성은 속도! 두 사람은 빠른 속도로 검을 휘둘렀다.

키바가 지닌 성마검, 제노비아의 성검 뒤랑달은 앞에서 달려드는 악마들을 단숨에 베어 넘겼다! 성스러운 힘은 악마의 약점이다. 두 사람이 지닌 무기에 의해, 그들은 먼지로 변했다.

그리고 하늘로 날아올라서 공격을 펼치고 있는 이는 아케노 씨와 이리나였다.

"뇌광이여!"

타천사의 피가 흐르는 아케노 씨는 등에 타천사를 상징하는 칠흑색 날개를 펼치더니, 밤하늘에 번개를 머금은 먹구름을 만들어냈다.

그리고 빛을 머금은 번개—— 뇌광이 뿜어져 나왔다.

그 뇌광을 맞은 악마가 순식간에 재로 변했다.

아케노 씨의 랭크는 『퀸』! 『퀸』은 강력한 특성을 지녔다. 『나이트』, 『룩』, 『비숍』의 힘을 겸비한 것이다.

그리고 밤하늘로 날아오른 이리나가 등에 천사의 순백색 날개를, 그리고 머리 위에 빛의 고리를 출현시켰다.

"빛의 공격을 받아 봐!"

이리나의 손에 빛의 창이 생겨나더니, 아래편에 있는 악마들을 향해 그 창을 던졌다. 고밀도의 빛 공격을 정통으로 맞은 악마가 그 자리에서 소멸됐다.

빛은 악마에게 맹독이다. 그것을 정통으로 맞는다면, 엄청난 대미지를 입고 만다.

아케노 씨는 타천사이며, 이리나는 전생천사다. 빛 속성의 공격을 펼칠 수 있을 뿐만 아니라, 그 공격 하나하나에 담긴 위력 또한 그들에게는 치명적이리라.

게다가 이리나는 성검 오트클레르를 지니고 있기 때문에, 제노비아와 마찬가지로 성스러운 파동도 날릴 수 있다. 천계——

천사장 미카엘 씨의 A는 겉멋이 아닌 것이다.

이리나는 정체불명의 악마들에게 천적 그 자체다.

제노비아와 키바는 돌격을 감행했고, 아케노 씨와 이리나는 공중에서 빛 속성의 공격을 날렸다!

하지만 우리 쪽의 공격수는 저들이 전부가 아니다!

"에잇! 하앗!"

맨손으로 악마들을 날려버리고 있는 건, 고양이귀와 꼬리 세 개가 달린 코네코다!

코네코는 랭크는 『룩』이다. 『룩』의 특성은 단순명쾌! 파워와 방어력의 향상이다!

코네코는 원래 네코마타라는 요괴 중에서도 희소한 존재── 『네코쇼』다. 선술이 특기이며, 자신의 기와 자연계의 기를 이용해서 투기를 다룰 수도 있다.

게다가 네코마타 특유의 힘── 불수레도 만들 수 있다. 코네코가 날린 수레바퀴── 불수레는 정화의 효과도 지닌 새하얀 불꽃으로 이뤄져 있다. 악마가 맞으면 순식간에 불타버리고 만다!

성검, 빛, 정화 등, 악마에게 치명상을 입히는 공격만 우리가 날려대자, 악마들도 당황했다.

"젠장! 이렇게 되면 성검과 빛을 쓰지 않는 녀석들을 노리면 돼!"

그 녀석들 중 일부가 공격 대상을 바꿨다.

"저 조그마한 녀석부터 해치워!"

그들이 노린 건—— 개스퍼였다.

예전의 개스퍼였다면 '어버버버버버! 무서워요오오오오!' 하고 외치며 상대의 공격에 겁먹은 나머지 몸을 움츠렸을 것이다.

——하지만 지금의 이 녀석은 다르다. 완전히 딴 사람이 된 것이다.

악마 중 한 명이 손에 마력을 응축하며 개스퍼에게 달려들었지만……. 상대의 펀치는 개스퍼에게 닿지 않았다. 개스퍼의 발치에 존재하는 그림자에서 튀어나온 검고 거대한 손에 막힌 것이다.

개스퍼가 흉흉하게 빛나고 있는 붉은 눈동자로 상대를 쳐다보며 말했다.

"나라면 해치울 수 있다고 생각한 거죠? 그건 착각이에요."

개스퍼의 몸이 어둠에 휘감기면서, 검게 물들었다. 그리고 검은 물체로 변한 개스퍼의 형태가 변모하기 시작했다.

몸이 부풀어 오르기 시작한 개스퍼는 자신을 공격했던 악마보다 더욱 거대해지더니, 무시무시한 존재로 변화해갔다.

잠시 후, 모습을 드러낸 존재는 바로 검고 거대한 마물이었다. 흉흉한 어둠의 아우라를 뿜고 있으며, 몸집이 5미터는 될 듯한, 드래곤과 흡사하게 생긴 암흑의 존재다.

그 비정상적인 아우라의 양을 느낀 건지, 정체불명의 악마들 전원이 그대로 경악했다.

개스퍼는 이 자리에 있는 멤버들 중에서도 손꼽히는 강자다.

개스퍼가 지닌 세이크리드 기어 『정지세계의 사안(邪眼)』은
수많은 일들을 겪으면서 각성했고, 미지의 세이크리드 기어로
변했다.

　——시공을 지배하는 사안왕(邪眼王) 『아이온 발로르』, 그것
이 현재 개스퍼가 지닌 세이크리드 기어의 이름이다.

　개스퍼를 공격하려던 악마들이 그제야 허둥지둥 도망치려 했
지만……. 검은 짐승으로 변한 개스퍼는 진홍색을 띤 두 눈을 반
짝이면서 악마들을 정지시켰다. 악마들의 시간을 멈춘 것이다.

　그리고 정지된 악마들을 두꺼운 팔로 호쾌하게 두들겨 팼다.

　마음만 먹는다면 이 일대에 있는 정체불명의 악마들을 개스퍼
혼자서 처리할 수 있겠지만, 우리는 가만히 앉아서 구경만 할
생각은 없다.

"젠장! 이딴 녀석들과 어떻게 싸우냐고!"

　도망치려고 하는 자도 있지만, 우리는 놔줄 생각이 없었다.

"놓칠까 보냐!"

　내 신하인 거대한 드래곤—— 보버가 도망치는 악마들을 두
들겨 팼다.

　전직 용왕의 아들답게, 보버도 상급 악마 클래스를 상대로도
별 탈 없이 잘 싸웠다.

　도망치는 악마들을 포박하고 있는 이가 한 명 더 있었다——.

　수많은 박쥐가 악마들을 둘러싸더니, 그들의 목덜미를 깨물
었다. 그리고 박쥐에게 피를 빨린 악마들이 그 자리에서 기절하
고 말았다.

박쥐를 조종하고 있는 건 흡혈귀 아가씨, 에르멘힐데였다.

"이런 식으로라도 도움을 드려야죠."

꽤 조신하고 조용한 편이지만, 자기 할 일은 똑 부러지게 해 주는 우수한 애다.

"이 일대는 이미 결계에 감싸여 있어요."

그렇게 말한 이는 내『룩』인 로스바이세 씨였다. 그녀의 손 언저리에는 몇십 개의 마방진이 펼쳐져 있었다. 악마가 도망치지 못하도록 특기인 결계술을 이 일대에 전개한 것이리라.

한편, 회복의 세이크리드 기어『성모의 미소(트와일라이트 힐링)』를 지닌 아시아는 뒤편에서 우리의 싸움을 지켜보고 있었다.

아시아는 전투력이 없지만, 그 치유 능력은 타의 추종을 불허할 정도다. 그 어떤 상처라도 치료해 주는, 우리의 생명선이다.

그녀를 지키고 있는 건 내 매니저인 레이벨이다.

레이벨은 전 72위인 피닉스 가문 출신이다. 불사(不死)의 특성을 지녔기 때문에, 웬만한 공격으로는 그녀를 해치울 수 없다.

뭐, 아시아와 레이벨이 적에게 공격을 당하는 일은 없었다.

왜냐하면, 나의 강력한 동료들이 정체불명의 악마들을 차례차례 쓸어버리고 있으니까 말이야!

『킹』인 나와 리아스도 질 수야 없지!

"이얍!"

나도 진홍의 갑옷 상태로 악마들 여럿을 한꺼번에 펀치와 킥으로 날려버렸다.

내 옆에서는 리아스가 검은색 마력 덩어리—— 소멸의 마력을 쏘고 있었다.

"사라져버려!"

멸망의 힘은 모든 것을 없애버린다. 방어조차 의미가 없다. 웬만한 강자라도 맞으면 그대로 소멸되고 만다. 그것이 바로 소멸의 마력이다.

정체불명의 악마들도 리아스의 흉악한 마력을 맞고 차례차례 소멸됐다.

백 명이 넘던 적들의 표정에서 여유가 완전히 사라지더니, 압도적인 실력 차이를 이해한 건지 겁을 먹으며 전의를 상실하기 시작했다.

하지만 실력 차이를 이해하고도 공격을 펼치는 자가 있었다.

"이익! 한 명이라도 해치워버리겠어!"

아시아와 레이벨을 노리는 자가 있지만——.

빛의 총탄이 그 악마를 꿰뚫었다.

우리가 펼친 공격은 아니다.

내가 그 탄환이 날아온 곳을 쳐다본 순간, 귀에 익은 목소리가 들렸다.

"어머나, 악마 여러분이 아니신가요~."

교회의 여성 전사가 입는 전투복 차림으로 나타난 이는 흰색과 검은색이 섞인 머리카락을 올려 묶은 소녀—— 린트 세르젠 양이었다. 실은 그녀도 전생천사다.

리아스의 국제대회용 팀의 멤버이기도 했다. 그녀도 이번 토벌에 참가한 것 같았다.

그런 린트 양이 노래를 부르기 시작했다.

"저는 린트 ♪ 린트 세르젠 ♪ 교회의 사자(使者)이자~ 천계의 브레이브 세인트!!"

이 아이의 오빠 격이었던 프리드도 이런 노래를 불렀었지. 그 녀석의 노래는 더 저질스러웠지만 말이야…….

빛의 탄환을 쏘는 교회 특제 총과 보라색 불꽃으로 된 검을 양손에 쥔 린트 양은 아시아와 레이벨을 공격하려던 악마들을 쓰러뜨리면서 우리를 향해 걸어왔다.

나는 린트 양에게 물었다.

"……왜, 왜 그래? 린트 양."

그녀는 뒤통수를 긁적이면서 말했다.

"아, 프리드 오빠도 이 노래를 불렀다면서요? 귀에 거슬린다면 앞으로는 안 부를게요."

그녀는 적들을 향해 총구를 들면서 말을 이었다.

"악마 퇴치는 교회 전사의 전문 영역이니 가세하라고 스트라다 예하께서 명령하셨거든요. 그래서 도와드리러 온 거예요."

아, 스트라다 예하의 명령을 받고 온 거구나.

뭐, 명령을 받지 않았더라도 이 애라면 '왠지 재미있을 것 같으니까' 같은 이유로 이 자리에 등장했을 것 같지만 말이다.

아무튼 우리는 실력적으로 상급 악마 클래스인 정체불명의 악마들을 압도했다.

뭐, 상급 악마라고 해서 전부 실력이 비슷비슷한 건 아니다.

그중에는 최상급 악마라고 해도 손색이 없는 이들이 있으며, 대왕 바알 가문의 차기 당주인 사이라오그 씨처럼 마왕급이라 해도 과언이 아닐 정도로 뛰어난 실력자도 있다.

하지만 이 녀석들은 상급 악마 중에서도 실력이 뒤떨어지는 축에 속했다.

평범한 악마나 천사였다면 이 정도 숫자의 상급 악마 클래스를 상대하는 건 그야말로 절망적일 것이다.

하지만 우리는 지금까지 극악무도하고 강력하기 그지없는 강적들과 싸우며 지금까지 살아남았다.

어떨 때는 전대 마왕의 자손, 어떨 때는 영웅의 혼을 이어받은 자들, 어떨 때는 전설의 사룡, 그리고 신과도 싸웠다.

덕분에 우리는 각 세력에서 흉계를 꾸미고 있는 자들의 억지력이 되기를 상부에서 바랄 정도의 존재가 되었다.

이곳에 있는 이들 전원이 상급 악마 수준의 적을 간단히 해치울 수 있는 실력을 지니지는 않았지만, 팀을 이뤄 행동하면서 엄청난 힘을 발휘하며 이렇게 일방적인 싸움을 펼칠 수 있는 것이다.

……게다가 이 녀석들은 자기가 지닌 마력을 가지고 그냥 날뛰고 있을 뿐이잖아. 생각이 없다고나 할까…….

이 녀석들에게서는 연륜이라는 것이 전혀 느껴지지 않았다. 마치 힘만 강하고 무지한 어린애와 싸우는 느낌이 들었다.

우리는 그런 생각을 하면서 10여 분 만에 백 명이 넘는 정체불명 악마들을 전부 해치웠다——.

살아남은 악마들은 전이 마방진으로 명계의 관련기관에 보냈다. 남아 있는 사체도 명계로 전송했다.

사후처리를 마친 후, 다들 긴장이 풀린 건지 한숨을 내쉬었다.

"이제 아무도 없는 것 같아요."

"……안심해도 되겠네요."

"일단 이제 괜찮은 것 같군요."

폐가와 주위에 숨어있는 자가 없는지 조사해본 키바, 코네코, 에르멘힐데가 그렇게 말했다. 키바는 직접 돌아다녔고, 코네코는 선술을 이용해 기운을 살폈으며, 에르멘힐데는 박쥐를 보내 주위를 확인한 것이다.

그 말을 들은 후, 이곳 주위에 결계를 펼쳤던 로스바이세 씨가 술법을 해제했다.

그럼 나도 갑옷을 해제하고 돌아갈 준비를 할까. ──그렇게 생각한 바로 그 순간이었다.

"── ♪"

느닷없이, 노랫소리가 들린 듯한 느낌이 들었다.

처음에는 기분 탓이라고 생각했지만…….

"──── ♪ ──── ♪"

노랫소리가 점점…… 다가오고 있었다.

남들도 그걸 눈치챈 건지, 노랫소리가 들리는 방향을 향해 돌아서며 경계심을 품었다.

바로 그때, 노랫소리와 함께 누군가가 이쪽으로 걸어오는 모습이 보였다.

그 사람은—— 보라색 장발을 지닌, 예의 그 소녀였다! 그때 사라졌던 그 여자애다!

왜 여기에 있는 거지?! 그러고 보니 그때도 정체불명의 악마에게 습격을 당하고 있었지.

……그렇다면……?

나는 다른 사람들에게 말했다.

"저 아이가 일전에 내가 만났던, 노래를 잘하는 보라색 머리——."

거기까지 말한 바로 그때였다——.

느닷없이 내 시야가 일그러지기 시작했다. 극심한 현기증이 밀려왔다.

그와 동시에 몸에서 힘이 빠져나갔다.

나는 곧 그 자리에서 한쪽 무릎을 꿇었다. ……모, 몸에서 힘이…… 빠져나……간다기보다, 힘을 모을 수가 없어…….

갑옷을 유지할 의식과 힘을 유지할 수도 없었기에, 나는 갑옷을 해제하고 말았다.

바로 그때, 나의 내면에 있는 드레이그가 고통 섞인 목소리로 말했다.

『……이, 이게 뭐냐……. ……노래…… 저 여자애의 노래가, 나와 파트너에게…… 영향을……!』

노, 노래……? 확실히 저 아름다운 노랫소리가 귀에 들어올 때마다 뇌가 뒤흔들리면서, 몸도 사시나무처럼 떨려……. 시야도…… 흐릿해지잖아…….

이, 이상하네? 이, 일전에, 만났을 때는 노래를 들어도……
이렇지는 않았는데…….

드래이그가 말했다.

『……그, 그때는, 이, 이 힘을…… 쓰지 않았던 걸지도 모른
다……!』

주위를 둘러보니, 나 말고는 다들 괜찮은 것 같았다. 다들 깜
짝 놀란 표정으로 고통스러워하는 나를 쳐다보고 있었다.

"잇세! 왜 그러는 거니?!"

"잇세 군?! 이, 이게 대체……?"

리아스와 아케노 씨가 내 곁으로 다가와서 진심으로 걱정했다.

"잇세 씨!"

아시아가 다가오더니, 치유의 힘을 사용했다. 녹색을 띤 상냥
한 아우라가 나를 감쌌다.

평소 같으면 내 대미지가 회복되어야 하지만…… 아시아의
능력으로도, 이 상태는…… 개선되지 않았다!

"크, 크오오오오오……."

……이 신음이 들린 곳을 쳐다보니, 거구인 보버가 나와 마찬
가지로 한쪽 무릎을 꿇은 채 고통스러워하고 있었다. 보버 또한
몸에 힘이 들어가지 않는 것 같았다…….

나, 나와 드래이그…… 보버에게만 효과가 있다면……. ……
드래곤에게만 영향이 있는…… 노랫소리인가……?

"큭! 노래를 멈춰!"

"이 아이도 아까 그 악마들과 한패인 건가? 어쨌든 잇세 군과

보버 씨를 공격하고 있는 걸로 봐도 되겠지?"

제노비아와 키바가 무기를 꺼내들더니, 경계심을 품으며 보라색 머리카락을 지닌 소녀와 대치했다.

……이대로 있다간, 제노비아나 키바가 저 여자애를 공격할지도 모른다!

나는 목소리를 쥐어짜내며 제노비아와 키바에게 말했다.

"기, 기다려……. 나, 나쁜 애는 아닐 거라고 생각해……. 베, 베지는 말아줘……!"

처음 만났을 때는…… 전혀 악의를 지니고 있지 않았다. 불가사의한 분위기를 지닌 애였지만, 나쁜 애는 아닐 거라는…… 직감이 들었다!

하지만, 이대로 둘 수도…… 없나…….

바로 그때, 로스바이세 씨가 마방진을 펼쳐서 보라색 머리카락을 지닌 여자애에게 날렸다. 그 애의 몸이 옅은 푸른색을 띤 아우라에 휘감겼다.

아우라가 잦아들자, 그 소녀는 정신을 잃은 것처럼 그 자리에서 쓰러졌다.

로스바이세 씨는 숨을 내쉬면서 말했다.

"일단 최면 마법을 걸었어요. 효과가 있는 것 같아서 다행이에요."

……로스바이세 씨가 눈치를 발휘해 손을 써줬다.

신비한 노래를 부르는 수수께끼의 소녀가 난입하는 일이 있었지만, 우리는 정체불명 악마들을 토벌한다는 임무를 완수했다.

우리는 잠이 든 보라색 머리 소녀를 조사해 보기 위해 회수한
후, 효도 가로 귀환했다——.

그리고 우리는 그 정체를 알고 경악하게 된다.

Life.3 새로운 친구는 수수께끼의 가희입니다.

 우리는 정체불명의 악마들을 토벌하고 귀환했다.

 리아스와 레이벨은 효도 가에 도착하자마자 명계의 상층부에 자초지종을 설명했다.

 토벌은 성공했고, 그 직후에 수수께끼의 소녀가 나타났으며, 그녀를 보호했다——.

 보라색 머리카락을 지닌 여자애의 노래를 듣고 나와 보버는 고통을 느꼈지만, 노래가 멎자마자 몸 상태가 회복됐다.

 일단 나는 당시의 상황을 명계, 그리고 세이크리드 기어를 연구하는 그리고리에 보고했다.

 보호한 여자애는 다른 방에 재워뒀다. 감시자도 붙여서 이 집을 빠져나가지 못하게 했다.

 그로부터 몇 시간이 흘렀을 즈음, 명계 상층부에서 우리에게 연락이 왔다.

 효도 가의 고층에는 VIP룸으로 쓰이는 널찍한 응접실이 있다. 그곳에 조금 전의 토벌 멤버가 소집됐다(거구인 보버는 몸을 작게 만든 후, 이 자리에 참석했다).

 VIP룸의 테이블에는 연락용 마방진이 전개됐으며, 거기에 연락을 준 상대의 모습이 투영됐다.

그 상대는 바로―― 마왕님이었다.

마왕 아주카 바알제붑 님. 현재 4대 마왕 중 유일하게 마왕의 자리를 지키고 있는 분이다.

바알제붑 님이 토벌을 한 우리의 공을 치하한 후, 보라색 머리카락을 지닌 소녀에 대해 이야기하기 시작했다.

『그녀의 이름은―― 레비아탄. 잉빌드 레비아탄. 전대 마왕 레비아탄의 자손이다. 게다가 인간의 피도 이어받았지.』

"""――윽?!"""

……우리는 그 말을 듣고 경악했다.

당연하잖아! 마왕 레비아탄…… 그것도 전대 레비아탄의 후손이라고!

현재 명계, 악마 측의 정부는 과거에 일어난 내전 이후로 재편성되고 있다.

천사, 타천사, 악마의 삼파전으로 벌어진 대전쟁 후, 피폐해진 각 세력은 종족의 존속조차 위험시될 정도로 쇠퇴하기 시작했다.

그런 와중에 전대 4대 마왕의 피를 이어받은 자들은 전쟁을 계속 이어가며 철저항전을 해야 한다고 주장했고, 그것을 옳지 않게 여긴 악마들과 내전을 벌였다.

그 결과, 쿠데타 측이 승리하면서 전대 마왕의 피를 이어받은 자들이 명계 구석으로 쫓겨났다. 그 후, 4대 마왕은 세습제가 아니라 임명제가 되었고, 당시의 악마 중 실력자였던 네 명이 마왕으로 뽑혔다.

아주카 바알제붑 님은 그 당시의 실력자 중 한 명이었다.

그리고 리아스의 오라버니인 서젝스 님도 루시퍼의 이름을 이어받았다. 그레모리가 명문으로 여겨지는 이유 중 하나가 바로 마왕을 배출했기 때문이다.

그리고 명계 구석으로 쫓겨난 전대 마왕의 피를 이어받은 자들은 근근이 살아가고 있었지만…… 작년, 테러리스트 조직 『카오스 브리게이드』에 합류해 『구 마왕파』로서 현 악마정부와 다른 신화체계에 선전포고를 했다. 그러나 리더 격과 간부가 전부 타도되면서 테러 조직의 파벌도 와해됐는데…….

전대 마왕의 피를 이어받은 자…… 인간의 피를 지닌 자는 보라색 머리 소녀── 잉빌드 외에도 있다.

내 라이벌이자 이천룡인 발리 루시퍼도 그중 한 명이다.

그 녀석도 전대 루시퍼의 증손자이며, 어머니가 인간이었다. 그래서 루시퍼로서의 피와 재능뿐만 아니라 인간만이 지닐 수 있는 세이크리드 기어도 지니게 되면서, 무시무시한 강자가 된 것이다.

나는 바알제붑 님에게 물었다.

"그, 그럼 발리와 마찬가지인 건가요?"

『경위는 다르지만, 전대 마왕의 자손인 점, 그리고 인간과의 혼혈이자 세이크리드 기어를 지닌 점은 동일하지.』

……맙소사.

발리 같은 케이스가 또 있다니…….

아니, 단절된 전 72위 상급 악마의 자손이 인간과 섞여 살아가고 있다는 이야기라면 몇 번 들은 적이 있다.

하지만 진정한 마왕의 자손이자 인간과의 혼혈 같은 레어 케이스는 발리뿐일 거라고 생각했어.

바알제붑 님이 덧붙여 말했다.

『그녀는 잠에서 깨어나지 못하는 병을 오랫동안 앓았다.』

──윽.

……나는 그런 병에 관한 이야기를 전에도 들은 적이 있었다.

나는 기억 속에 존재하는 사례를 입에 담았다.

"사이라오그 씨의 어머니가 걸리셨던 그 병 말인가요?"

바알제붑 님은 고개를 끄덕이셨다.

『그래. 그녀도 그 병에 걸렸지. 하지만 얼마 전에 기적적으로 정신을 차렸어. 그 몸에 깃들어 있던 세이크리드 기어가 각성한 덕분이지.』

사이라오그 씨의 어머니도 기적적으로 정신을 차렸지만……그 병의 효과적인 치료법은 아직 찾지 못했다.

잉빌드는 자신의 몸에 깃든 세이크리드 기어의 영향으로 깨어난 건가…….

바알제붑 님은 덧붙여 놀라운 사실을 알려줬다.

『그 세이크리드 기어는…… 새롭게 발각된 다섯 개의 롱기누스 중 하나인 「끝을 맞이한 에메랄드 바다의 노래」다.』

""──윽?!""

우리는 그 정보를 듣고 또 경악했다!

이, 이 아이가, 롱기누스 소유자였어?! 그것도 새롭게 발각된 녀석의!

롱기누스는 세이크리드 기어 중에서도 매우 강력한…… 아니, 그야말로 세이크리드 기어의 수준을 일탈한 능력과 특성을 지닌 희소한 세이크리드 기어를 가리키는 명칭이다.

나도 그것을 가지고 있다. 『부스티드 기어』가 롱기누스 중 하나였던 것이다. 또한 내 라이벌 발리가 지닌 『백룡황의 광익』도 롱기누스 중 하나다.

동료…… 아니, 『D×D』에 속한 멤버들 중에도 롱기누스를 지닌 자가 많으며, 이 자리에 있는 개스퍼와 린트 양도 롱기누스 소유자다.

얼마 전까지는——『트루 롱기누스』, 『제니스 템페스트』, 『어나이얼레이션 메이커』, 『디멘션 로스트』, 『부스티드 기어』, 『디바인 디바이딩』, 『세피로트 그랄』, 『인시너레이트 앤섬』, 『케이니스 류카온』, 『레굴루스 네메아』, 『앱솔루트 디마이즈』, 『이노베이트 클리어』, 『텔로스 카르마』, 이렇게 열세 개가 확인됐지만, 최근 들어 새롭게 관측된 롱기누스가 있다.

『아이온 발로르』, 『알페카 타이런트』, 『언논 딕테이터』, 『네레이스 키리에』, 『스타 버스터 스타 블래스터』, 이렇게 다섯 개가 추가되면서, 현재 롱기누스는 총 열여덟 개다.

개스퍼의 세이크리드 기어는 이 신규 롱기누스인 『아이온 발로르』다.

잉빌드도 신규 롱기누스인 『네레이스 키리에』를 지닌 것이다.

키바가 그 말을 듣고 입을 열었다.

"그건 새로운 상위 롱기누스 중 하나죠?"

키바가 방금 말한 것처럼, 롱기누스 중에도 더욱 강력하고 흉악한 상위 클래스가 있으며, 지금까지는 『트루 롱기누스』, 『제니스 템페스트』, 『어나이얼레이션 메이커』, 『디멘션 로스트』, 이 네 개가 상위종으로 분류됐다.

그리고 신규 롱기누스 중에서도 『네레이스 키리에』, 『스타 버스터 스타 블래스터』가 상위 클래스로 여겨진다고 들었다.

상위 클래스는 쓰기에 따라서 국가를 멸망시키는 것도 가능하며, 세계에 큰 영향을 끼칠 수 있는 규모의 힘을 지녔다.

그 중에는 사악하다고 여겨지며 사용 자체가 금기시되는 롱기누스도 있다고 하던데…….

바알제붑 님이 입을 여셨다.

『상위종은 매우 위험하지. 그녀가 눈을 뜬 직후, 그리고리 측의 협력을 받으며 세이크리드 기어의 조사를 하고 있을 때였어. 잉빌드 레비아탄이 자취를 감췄지. 얼마 전의 일이다.』

롱기누스를 조사하던 도중에 사라진 건가…….

어? 그럼 자취를 감춘 후에 다시 발견된 곳이 이곳인 건가?

……대, 대체 그녀에게 무슨 일이 있었던 거야?

의문이 꼬리를 무는 가운데, 새로운 인물이 이 방 안으로 들어왔다.

"잉빌드 레비아탄에 관해서는 예전부터 우리 쪽에서도 조사를 하고 있었어."

그렇게 말한 이는 오른쪽 눈에 안대를 찬 미남이었다! 교복 위에 한푸(漢服)를 걸친 독특한 복색을 하고 있었다.

"조조!"

나는 그 남자의 이름을 외쳤다.

그는 『카오스 브리게이드』에서 영웅파의 우두머리였던 남자다. 나는 이 남자와 몇 번이나 싸우며 패배의 쓴맛을 봤다. 하지만, 우리는 어찌어찌 이 남자를 쓰러뜨렸다.

그 후에 이런저런 일이 있었고, 현재 조조는 수미산 세력의 보스——제선천의 첨병이 되었다. 예전처럼 나쁜 짓을 하거나 적의를 품지는 않았으며, 무슨 일이 터질 때마다 우리——『D×D』와 협력하게 됐다.

이 녀석도 상위 롱기누스를 지녔다. 게다가 원초의 롱기누스이자 최강이라 불리는 『트루 롱기누스』의 소유자다.

조조도 레이팅 게임 국제대회에 참가하고 있으며, 그가 이끄는 팀도 본선 토너먼트에 진출했다.

조조는 차를 준비하고 있던 레이벨에게 말했다.

"아, 핫밀크로 부탁해. 설탕도 듬뿍 넣어줘."

레이벨은 "아, 예." 하고 말하며 주방으로 향했다.

"핫밀크에 설탕을 듬뿍 넣어먹는 거야? 단걸 좋아하나 보네."

일전에 조조를 만났을 때도 핫밀크를 마시고 있었다는 게 생각난 나는 그렇게 물어보았다.

조조는 씨익 웃었다.

"입맛은 애 같거든. 이 세상에서 가장 맛있는 음식이 치즈 햄

버그라고 생각할 정도라고. 뭐, 신경 쓰지 마."

조조는 다시 본론으로 들어가면서 이렇게 말했다.

"아무래도 정체불명의 악마…… 아니, 그 배후에 있는 자가 잉빌드 레비아탄을 유괴한 것 같아."

정체불명의 악마들을 조종하는 녀석들에게 유괴됐다…….

그 녀석들은 지옥의 맹주들 맞지?

내가 그렇게 생각하고 있을 때, 바알제붑 님께서 말씀하셨다.

『이제 와서 자네들에게 비밀로 할 필요도 없겠지. 명계와 각 세력의 영역에서 소동을 일으킨 정체불명의 악마들 말인데, 그들은 악마의 어머니 릴리스 님께서 새롭게 탄생시킨 악마들이다.』

""" ━━ 윽."""

……스트라다 예하의 예상이 적중한 것이다. 그래도 다들 놀란 것 같았다. 오늘 보고는 하나같이 경악을 금치 못할 내용이네. 심장에 무리가 가겠어.

바알제붑 님이 이어서 말씀하셨다.

『그들의 몸을 조사해본 결과, 고대의 악마…… 귀족 중에서도 초대라 불리는 자들, 즉 릴리스 님께서 직접 출산하신 악마들과 동일하다는 결론에 도달했다. 게다가 상당히 열악한 상황에서 릴리스 님께 출산을 시켰을 뿐만 아니라, 그들을 억지로 성장시킨 흔적도 발견됐지. 마력을 관장하는 부분에서 결함이 존재하는 개체도 있을 정도야.』

초대 귀족 악마들과 동일하다……. 뭐, 어머니가 같으니까 말이야…….

리아스가 바알제붑 님에게 질문을 드렸다.

"릴리스 님께서 그들을 낳았다……. 아주카 님, 릴리스 님을 발견해 강제로 새로운 악마를 탄생시키게 하고 있는 이는 누구죠? 역시 저희의 예상대로……."

리아스가 말끝을 흐리자, 바알제붑 님은 진지한 표정을 지으며 고개를 끄덕였다.

『……자네들의 예상대로, 하데스를 비롯한 지옥의 맹주들이 릴리스 님을 발견해, 악마들을 탄생시키고 있는 거겠지.』

역시 그 녀석들 짓이냐! 내 아버지한테 해를 끼치려고 한 위험한 놈들이다. ……아니나 다를까, 이딴 빌어먹을 짓거리를 벌이고 있었던 거냐!

바알제붑 님께서 말을 이었다.

『이렇게까지 밝혀졌는데도 그들은 시치미를 뗄 거다. 명확한 적의는 지녔지만, 명확한 선전포고는 안 하니까 말이야.』

제노비아는 인상을 찡그렸다.

"마음 같아서는 확 쳐들어가고 싶지만…… 정치적으로는 그러기 어려울 거야. 우리도 『D×D』에 속해 있잖아. 대의명분, 그리고 명백한 증거가 필요하겠네."

제노비아는 여전히 말보다 손이 빠른 편이지만, 쿠오우 학원의 학생회장이 된 덕분인지 처음 만났을 적에 비해 차분하게 매사를 관찰할 수 있게 됐다.

레이벨은 이 이야기를 듣고 공포에 질린 듯한 표정을 지었다. 뭔가, 무시무시한 생각이 그녀의 머릿속을 스친 것 같았다.

레이벨은 떨리는 목소리로 바알제붑 님에게 물었다.

"마왕님. 혹시, 이번 국제대회에 참가한 새로운 초월자들은…….."

그 말을 들은 순간, 이 자리에 있는 이들의 머릿속에는 머리카락이 적동색인 청년 악마 발베리스, 그리고 비취색 장발의 소녀 악마 베리네의 모습이 떠올랐을 것이다.

그들은 명부 출신의 그림 리퍼가 이끄는 팀에 속해 있으며, 그 힘은…… 초월자급, 신에게 비견될 정도다. 그들은 압도적인 파워로 본선 토너먼트에 진출했다.

하지만 초월자는 리아스의 오빠―― 서젝스 님과 아주카 바알제붑 님을 비롯해, 아직 세 명밖에 확인되지 않았다.

그런데 새롭게 두 명의 초월자급이 느닷없이 나타났다. 명부의 그림 리퍼가 이끄는 팀의 멤버로서――.

그 점에서 비롯된 예상은 우리를 전율의 도가니에 빠뜨리기에 충분했다!

――하데스를 비롯한 지옥의 맹주들은, 악마의 어머니 릴리스를 이용해서 초월자를 만들어낸 건가?!

거기까지 생각이 미친 우리는 할 말을 잊었다.

잠시 동안 침묵이 이어진 후, 더는 못 참겠다는 듯이 이리나가 벌떡 일어서며 고함을 질렀다.

"초, 초월자를 인공적으로 만들어내는 게 가능하다면…… 각 세력의 균형이 완전히 무너지고 말 거야!"

이리나의 말이 옳다. 초월자의 힘은 그 정도로 어마어마한 것이다. 실제로 과거에 명계에서 쿠데타가 일어났을 때, 초월자였던 서젝스 님과 바알제붑 님의 활약 덕분에 구 정부를 뒤엎을 수 있었다고 해도 과언이 아니라고 들었다.

그런 초월자를 의도적으로 만들어낼 수 있다면…… 그것은 어마어마한 문제다. 초월자급을 휘하에 잔뜩 거느린 지옥의 맹주들과 싸운다니…… 상상만 해도 얼굴에서 핏기가 사라질 것만 같았다.

바알제붑 님께서 말씀하셨다.

『자네들이 방금 말한 것처럼, 하데스 측에서는 인공적으로 초월자를 만드는 실험을 하고 있는 거겠지. 하지만 확실하게 초월자를 만들어낼 수 있는 게 아니라, 초월자급이 태어날 때까지 릴리스 님을 이용해 무턱대고 실험을 한 쪽에 가까울 거다. 현재 각 세력에 나타난 정체불명의 악마들은 초월자를 만들기 위한 실험 과정에서 생겨난 부산물이라 생각하면 되겠지. 즉, 그들에게 있어 별 쓸모없는 악마를 각 세력의 영역에 보내, 다른 실험을 하고 있는 거라고 봐야 할 거다.』

초월자를 만드는 게 그들의 목적이었던 거냐! 우리가 토벌한 악마가 그 실험의 부산물 같은 거라니…….

악마의 어머니 릴리스를 이용해 초월자를 만드는 실험이라니, 하데스 측은 말도 안 되는 짓을 벌이잖아!

……롱기누스의 성배를 이용해 전설의 사룡을 부활시킨 리제빔을 방불케 하는 짓이다. 게다가 신이라는 작자들이 이딴 짓을 벌이는 거냐고!

바알제붑 님이 말을 이었다.

『하지만, 이건 나의 개인적인 의견인데…… 아마 더는 초월 자를 인공적으로 탄생시키는 실험을 하지 못할 거다.』

——윽.

……정말이야? 발베리스나 베리네 같은 녀석이 더 늘어나지 는 않는다는 거야?

바알제붑 님이 덧붙여 말씀하셨다.

『릴리스 님의 몸이 더는 버티지 못할 거다. 각 세력에서 출몰 한 악마의 숫자로 계산해 볼 때, 상당한 숫자의 악마를 단시간 동안 낳으셨을 테니까 말이야. 아마 더는 무리를 할 수 없는 상 태시겠지.』

……그래. 초월자가 끝도 없이 불어나는 건 아니라는 거구나. 뭐, 그렇게 된다면 우리는 전멸하겠지.

서젝스 님 클래스의 적이 천 명! 우와, 죽은 거나 다름없네! 쿠 오우쿄도 순식간에 소멸되고 말 거야!

바알제붑 님은 우리를 안심시키려는 듯이 미소를 지으며 말씀 하셨다.

『인공적인 초월자와 릴리스 님의 행방은 우리에게 맡겨다오. 단, 자네들이 인공 초월자와 마주친다면 그때는 맞서 싸우지 말 고 살아남는 것만 생각하도록. 알았지?』

"""예."""

——우리는 한목소리로 대답했다.

……함부로 건드렸다간 우리 중 누군가가 죽을 가능성도 있

으니까 말이야.

"그런데, 잉빌드 레비아탄은 어떻게 할까요?"

바알제붑 님이 그 질문에 답하셨다.

『음. 그녀는 의식을 되찾은 지 얼마 안 되었으니, 아직 기억이 완전히 되돌아오지는 않았을 거다. 정신적으로 몽롱한 상태일 테지. 그런 상태인 그녀가 지닌 신규 롱기누스의 특성은…… 매우 위험해. ——「네레이스 키리에」, 그 특성은 두 가지다. 하나는 드래곤을 무력화하거나 사역하는 노랫소리. 다른 하나는 바다를 조종하는 힘이지. 이것도 매우 성가셔. 즉, 이 롱기누스를 완벽하게 자기 것으로 만든다면 드래곤 무리를 거느리는 게 가능하고, 바다를 조종해 도시를 물에 잠기게 만드는 것도 가능하다. 쓰기에 따라서는 이 세계에 간단히 악영향을 끼칠 수 있는 세이크리드 기어다. 그래서 상위 클래스로 지정된 거지.』

드래곤을 무력화하고, 바다를 지배하는 능려어어어어억?!

그래서 나와 보버는 그 노랫소리를 듣고 몸에서 힘이 빠진 건가…….

게다가 바다도 조종할 수 있다니…… 장난이 아니잖아! 도시를 물에 잠기게 할 수도 있다고……!

그, 그러고 보니 날씨를 조종하는 세이크리드 기어라면 들어본 적이 있지만, 바다를 관장하는 세이크리드 기어는 듣도 보도 못했네. 하지만 새롭게 나타난 롱기누스가, 쓰기에 따라서는 바다를 통째로 지배할 수 있다니……!

저 아이의 힘을 노리는 자가 있는 것도 납득이 됐다.

이 세상에 존재하는 생물 중에서 최강이라 일컬어지는 드래곤을 무력화할 수 있는데다, 인간계의 태반을 차지하는 바다도 지배할 수 있는 것이다.

이런 게 가능한 세이크리드 기어를 차지하려 하는 세력이 존재하는 게 어찌 보면 당연했다.

지옥의 맹주들에게 납치를 당했었다는 게 정말 무시무시했다. 하지만 운이 좋게도 지금은 우리 곁에 있지만 말이다.

바알제붑 님은 이런 무시무시한 말씀도 하셨다.

『사실 그 노랫소리가 용신에게도 통할지가 가장 큰 문제다. 그녀를 유괴한 자들의 표적, 최종 목표는 용신일 가능성이 크지.』

"""——윽?!"""

바알제붑 님께서 그런 무시무시한 예상을 입에 담자, 우리는 가슴이 철렁했다!

드래곤을 무력화시키고, 사역할 수 있다면…… 세계 최강의 드래곤——『우로보로스 드래곤』과 『아포칼립스 드래곤』 그레이트 레드에게도 영향을 끼칠지도 모른다는 것이다!

그 둘을 사역할 수 있다면……. 상상만 해도 무시무시해서 온몸에 소름이 돋을 정도다.

진짜로 그 정도의 힘을 지닌 건지는 알 수 없지만, 그녀에게서 절대 눈을 뗄 수 없다. 적대조직에게 납치라도 당해서 이용당한다면…… 큰일이 날 거라고!

한편, 바알제붑 님은 미소를 머금으며 말을 이으셨다.

『그런 가능성도 고려하면서 감시해야겠지만…… 내 본심을 말하자면, 전대 마왕의 피를 이은 자를 구해 주고 싶군. 심정적으로도, 정치적으로도 말이지.』

"……전대 마왕의 일족을 지지하는 자들은 아직 있으니까요."

레이벨이 덧붙여 말했다.

전대 마왕 루시퍼의 피를 이어받은 발리도 한때는 테러리스트 조직에 속했지만, 현재는 대회에서의 활약 덕분인지 전대 루시퍼를 존경하는 자들에게 지지를 받고 있다. 정치가들 중에는 발리와 접촉하려 하는 이도 있다고 한다.

그 녀석은 그런 일이 귀찮아서 전부 거절하고 있는 것 같지만 말이다.

바알제붑 님께서 말씀하셨다.

『그들의 기분을 맞춰 주는 데도 도움이 될 테고, 우리 편으로 삼을 수만 있다면…… 아, 이런 정치적 의도를 자네들이 알면 「D×D」 활동에 영향을 끼칠 수도 있겠지. 상층부의 지시는 간단하다. 잉빌드 레비아탄의 보호 및 그녀를 납치하려 한 흑막…… 아마 다시 그녀를 탈취하러 올 자들을, 적의 우두머리까지 전부 타도해 줬으면 한다.』

"상대가 신이라도…… 해치워도 되는 건가요?"

리아스는 확인 삼아 물었다.

바알제붑 님은 웃음을 터뜨렸다.

『이제 와서 그런 이야기를 할 필요는 없을 텐데? 자네들은 신조차 쓰러뜨릴 수 있는 힘을 지닌 팀이다. 각 세력의 억제력으로 기능해 줬으면 좋겠군.』

"""예!"""

인공 초월자 건은 상층부에 맡겨두기로 하고, 우리는 눈앞의 일에 집중하기로 했다.

잉빌드를 악당들에게서 지킨다! 여자애를 지키는 건 내 특기거든! 알기 쉬워서 좋네!——바로 그때, 조조가 바알제붑 님에게 이런 말을 했다.

"이야기가 정리된 것 같군요. 그 조사는 계속해서 『슬래시독』 팀과 함께 진행하겠습니다. 관련이 있을 가능성도 있으니까요."

『부탁하지.』

말을 마치고 방을 나서려던 조조가 이런 한마디를 남겼다.

"이제는 어째서 잉빌드 레비아탄이 이 일대에 있었는가 하는 의문만 남는군. 그들이 의도한 건지, 아니면……. 흠."

조조는 그렇게 말한 후, 효도 가를 나섰다——.

— ○ ● ○ —

바알제붑 님과의 대화를 마치고 몇 시간이 흐른 후——.

효도 가의 손님용 침실에는 화제의 보라색 머리 소녀—— 잉빌드 레비아탄이 잠들어 있었다.

아직 로스바이세 씨가 건 최면 마법에 의해 잠들어 있었다. 방 앞에는 동료의 사역마가 대기하고 있으며, 잉빌드가 일어나서 이 방을 빠져나가지 못하도록 감시하고 있다.

우리는 각자의 방에서 쉬고 있었지만…….

나는 바알제붑 님에게서 들은 잉빌드의 정보를 정리했다.

그녀는 전대 마왕 레비아탄의 자손이다. 귀중한 존재인 것이다. 게다가, 신규 롱기누스도 소유하고 있으며, 악당들이 그 힘을 노리고 있다.

그 악당들은 이번에 쿠오우쵸 인근에 정체불명의 악마를 보낸 주모자들일 것이다. 정체는 아직 알 수 없지만, 지옥의 맹주들이 얽혀있는 건 거의 틀림없다.

……흑막은 악신(惡神)들이야.

그리고 잉빌드에 관한 정보 말인데…….

나는 그 정보를 듣고 큰 충격을 받았다.

그녀는 잠에 빠지는 병에서 깨어난 지 얼마 안 되었으며……백 년도 전에 그 병에 걸렸다고 한다.

레비아탄의 자손이라는 사실은 최근에 밝혀졌다고 한다. 이야기에 따르면, 전대 마왕 레비아탄 파벌에 있던 귀족 악마만이 알고 있던 정보였다고 한다.

그 귀족 악마는 잠에 빠진 잉빌드를 자신의 영토에 숨겼다고 한다.

……요즘 같은 세상에 그런 사실이 계속 은폐되었다는 게 솔직히 놀라워.

인간의 피가 섞였다고는 해도, 전대 레비아탄의 자손이 존재한다면 현 정부도 술렁일 테니까 말이야.

이 사실은 『카오스 브리게이드』에 속해 있던 구 마왕파의 악마만 알고 있었다고 한다. 수감 중인 구 마왕파 구성원들도 몰랐으며, 오히려 이 사실을 알고 깜짝 놀랐다고 한다.

구 마왕파에도 전대 레비아탄의 피를 이어받았다는 카테레아 레비아탄이 있었지만…… 아마 카테레아는 알지 못했을 거라고 바알제붑 님께서 말씀하셨다.

알고 있었다면, 분명 인간의 피가 섞인 잉빌드를 죽였을 거라고——.

잉빌드를 숨겨준 전대 레비아탄 파벌의 악마가 왜 카테레아에게 그 점을 알리지 않았는가……. 솔직히 말해 나는 상상도 되지 않았다.

……잉빌드는 인간계에서 태어났다. 잠에서 갓 깨어난 잉빌드의 증언에 따르면, 유럽에 있는 바닷가 마을에서 자랐다고 한다.

명계 정부도 경위를 알고 있지는 않지만, 아무래도 먼 옛날에 레비아탄의 피를 이어받은 자가 인간계에 놀러왔다가 인간과의 사이에서 아이가 태어났고, 그 아이를 인간계에 두고 간 것 같았다. 그녀는 그때 남겨진 아이의 자손이다. 잉빌드는 격세유전으로 악마 레비아탄의 힘에 눈뜬 것 같았다.

인간계에 레비아탄의 피를 이어받은 사생아가 있다는 것 정도는 정부에서 파악해 줬으면 좋겠다는 생각이 들었다. 하지만 예전 정부에서 쿠데타로 정권을 거머쥔 지금 정부에게 정보가 넘어가지 않도록 은폐했을지도 모른다.

게다가 전대 루시퍼의 자손인 발리 같은 경우도 있으니까 말이다……. 전부 파악하고 있지는 못한 걸까.

어쩌면 명계 정부가 모르고 있을 뿐, 전대 바알제붑과 아스모데우스의 피를 이어받은 인간도 존재하는 거 아냐? 나는 그런 생각도 들었다. 아니, 원래는 존재했지만 이미 제거당해서, 지금은 발리와 잉빌드만 남은 걸지도…….

뭐, 명계의 정치 상황에 대해 내가 골머리를 썩여봤자 별 뾰족한 수를 찾을 수는 없겠지…….

자아, 이제는 귀족 악마가 어느 시점에 잉빌드의 존재를 알고 그녀를 숨겼는가 하는 문제가 남는다.

……아무래도 잉빌드의 부모님은 병에 걸린 딸을 구하기 위해, 악마를 소환했다고 한다.

그 악마가 그녀의 정체를 알고, 자신의 영토에 그녀를 숨긴 것이다.

……악마만이 걸리는 병에 걸린 딸을 위해 악마를 소환한 그녀의 부모님은, 자신의 아이가 악마의 힘에 눈떴다는 사실을 이해하고 있었을까? 인간은 치료하지 못하는 병을 어떻게든 고치기 위해, 지푸라기라도 잡는 심정으로 악마에게 의지했을 뿐인 게 아닐까. 전대 레비아탄 파의 악마를 불러낸 것은 우연일까, 아니면 의도한 것일까.

그런 점에 대해서는 이제 상상에 맡길 수밖에 없다. ……백 년 넘게 지난 일이니, 그녀의 부모님은 이미…….

…………내가 이 정보를 듣고 우울한 기분에 사로잡혀 봤자 아무 소용없나.

아무튼, 그녀와 사이라오그 씨의 어머니가 걸린 그 병에 걸린 이는 백 년가량 잠들어 있어도 죽지 않는 건가. 잠에서 깨어나지 못한 채 서서히 쇠약해져서 죽는다는 건 알고 있지만……. 만 년은 너끈히 산다고 하는 악마에게 백 년 동안 잠든 채로 있는 건 큰 문제가 아닌 걸까? 그런 부분 또한 내 전문분야가 아니기 때문에 감이 오지 않았다.

하지만——.

백 년이나 잠든 채로 지낸다는 건 상상조차 안 돼. 무려 백 년이라고. 장수를 한 인간의 일생에 가까운 시간 동안 그저 잠든 채로 지낸다니…….

게다가, 그녀는 인간계에서 자랐다. 악마의 힘에 눈뜰 때까지, 인간으로서 자랐을 것이다.

…………

……나는, 상상도 못 하겠어.

내가 잉빌드의 처지에 대해 생각하고 있을 때였다.

누군가가 이 방의 문에 노크를 했다. 안에 들어온 이는 레이벨이었다.

"잇세 님, 잉빌드 님이 깨어나셨어요."

——윽.

……자, 면식이 있는 사람은 나뿐이다. 그럼 이야기해 볼까.

나는 잉빌드가 있는 손님용 침실로 향했다——.

잉빌드가 있는 방에는 나와 아시아만 들어갔다.

한꺼번에 너무 많은 사람들이 몰려가면 불안해할지도 모르기에, 그녀와 만난 적이 있는 나, 그리고 외모와 분위기에서 악의가 눈곱만큼도 느껴지지 않는 아시아가 단둘이서 그녀를 만나보기로 했다.

잉빌드는 침대에서 상반신만 일으킨 채 앉아 있었다.

나는 침대 옆에 놓인 의자에 앉았고, 아시아는 약간 떨어진 곳에 섰다.

잉빌드는 처음 만났을 때와 마찬가지로 졸린 듯한 표정을 짓고 있었다. 그녀가 걸린 병의 후유증 같은 걸까…….

들은 이야기에 따르면, 백 년 동안 잠들어 있었던 탓에 기억이 완전히 돌아오지는 않았으며, 어렴풋한 기억만 지녔다고 한다.

그리고 백 년 동안 잠들어 있었다는 것과 그녀의 내면에 특별한 힘── 롱기누스가 존재한다는 것도 이미 알려줬다고 한다.

마지막 기억으로는 인간계의 바닷가 마을에서 부모님과 평범하게 살아가고 있었다니까 말이야…….

잉빌드가 입을 열었다.

"여기는 붉은 용님의 집이지?"

내가 붉은 용 『웰시 드래곤』임을 알고 있는 건, 롱기누스 『네레이스 키리에』의 특성 덕분일지도 모른다고 바알제붑 님께서는 말씀하셨다.

그 세이크리드 기어는 드래곤을 지배할 수 있다잖아. 내 몸에 깃든 드래곤── 드래이그에 대해 아는 것도 당연할 수 있어.

나는 미소를 지으며 대답했다.

"그래. 여기는 내가…… 우리가 사는 집이야. 그러고 보니 자기소개를 아직 안 했네. 나는 효도 잇세이라고 해. 그리고 이 애는 아시아 아르젠토야. 잘 부탁해."

그녀의 이름은 알고 있지만, 이름으로 부르지는 않았다. 우리가 그녀의 이름을 알고 있다는 걸 밝히면 괜히 경계할지도 모르기에, 상대방이 밝힐 때까지 기다렸다.

곧 잉빌드도 자기소개를 했다.

"나는 잉빌드. 성은…… 생각이 안 나. 병원과 이상한 시설에서 만난 사람들은 나를 레비아탄이라고 부르던데……."

잉빌드가 잠에서 깨어난 직후, 그녀의 세이크리드 기어가 각성했다. 아니, 세이크리드 기어가 각성했기 때문에 잠에서 깨어난 것 같았다.

잉빌드를 숨기고 있던 악마는 자신이 그녀의 힘을 어떻게 하는 게 불가능함을 깨달았고, 명계 정부와 타천사 조직 그리고리에 연락을 취했다.

그녀의 존재는 곧바로 명계의 일부 악마와 일부 타천사에게 알려졌다.

그녀에게 세이크리드 기어가 깃들어 있다는 사실을 안 상층부는 세이크리드 기어에 해박한 그리고리 측의 협력을 받으며 잉빌드의 능력을 해석하려 했다.

잉빌드의 능력이 발각된 것은 그녀가 부른 노래에 힘이 담겨 있고, 그 노래가 드래곤에게 영향을 끼쳤기 때문이다.

그리고 잉빌드가 인간계의 바닷가 마을에서 자랐다는 것을 안 연구자들이 그녀를 인간계의 바다에 데려갔을 때, 또 하나의 능력── 바다를 조종하는 힘이 확인됐다.

그 두 특성은 쓰기에 따라서는 세계에 엄청난 영향을 끼칠 수도 있기에, 신규 롱기누스로 지정됐다. 그것도 상위 클래스로 말이다──.

왜 이 타이밍에 세이크리드 기어가── 롱기누스가 각성한 것인지는 아직 연구자 사이에서도 결론이 나지 않았다고 한다.

그리고 잉빌드의 힘이 확인된 직후, 그녀는 행방불명됐다.

잉빌드가 지닌 신규 롱기누스의 힘을 이용하려 드는 악당에게 납치되었다──고 봐야 할 것이다.

나는 다시 물었다.

"저기, 잉빌드. 왜 그 공원과…… 폐가에 있었던 거야?"

나는 바로 정곡을 찌르는 질문을 던졌다. 그녀의 반응으로 볼 때, 딱히 정보를 감추려는 것 같지도 않았기에 그냥 솔직하게 물어봤다.

그러자, 그녀는 불쑥 이렇게 말했다.

"……바다."

"뭐?"

내가 되묻자, 그녀는 말을 이었다.

"바다가 보고 싶었어. 하지만 정신을 차려보니 알지도 못하는 곳이라…… 그 공원에서 노래를 했는데, 붉은 용님이 나타난 거야."

……정신을 차려보는 모르는 곳에 있었다…….

드래이그가 말했다.

『무의식적으로 전이의 마력을 써서 각지를 전전하고 있었던 걸지도 모르겠군.』

……잠의 병에 걸린 후유증 같은 걸까? 뭐가 어떻게 된 건지 모르겠지만…….

일단 공원에서 나와 만났던 것은 기억하는 것 같았다.

"그럼 폐가에서 만났던 건 기억해?"

나는 그렇게 물었다. 느닷없이 나타난 잉빌드가 노래를 불러서 나와 보버에게 고통을 안겨 줬던 장소다.

"…………?"

그녀는 오렌지색 눈동자로 나를 쳐다보며 고개를 갸웃거렸다.

그건 기억하지 못하는 건가……. 무의식적으로 그런 걸까? 아니면 누군가의 지시에 따른 걸까?

딱히 악의가 느껴지지 않는 걸 보면, 폐가 인근에 나타났던 건 후자일 것 같은 느낌이 들었다.

나중에 로스바이세 씨에게 잉빌드에게 술법이 걸려있지 않은지 조사해달라고 할 생각이니, 곧 판명이 될지도 모른다.

으음…… 이 이야기를 해 봤자 딱히 진전이 없을 것 같으니, 그녀에 관해 은근슬쩍 물어보기로 할까.

"잉빌드, 너는……."

나는 잉빌드에게 잠에서 깨어난 후 어떤 일이 있었는지 물어보았다.

그녀는 이렇게 대답했다.

자신은 원래 인간계에서 살고 있었는데, 정신을 차려보니 명계에 있었다.

자신이 악마의 피를 이어받았다는 것을 알았다. 그리고 잠에서 깨어나지 못하는 병에 걸렸기 때문에, 명계에서 치료를 받고 있었다.

자신에게 세이크리드 기어가 깃들었다는 것도 그때 알았다고 한다. 악마와 타천사의 연구자들은 상냥했으며, 자신을 잘 돌봐줬다고 한다.

그런 와중에, 자신의 노랫소리에 힘이 담겨 있다는 사실이 판명됐다. 실험에 협력해 주기로 한 커다란 드래곤이 눈앞에 나타났을 때는 깜짝 놀랐지만, 자신의 노랫소리를 듣자마자 잠들어버린 그 드래곤은 정말 귀여웠다고 한다.

실험 도중에 인간계의 바닷가에도 갔다고 한다. 그리고 그때, 고향을…… 바닷가 마을을 떠올렸다고 한다.

그리고 그녀는—— 자신이 백 년 넘게 잠들어 있었다는 사실을 알았다.

"……나, 열일곱 살이야. 하지만 잠에서 깨어나 보니, 백 살 넘게 먹은 할머니래. 하지만 거울을 봐도 열일곱 살 때와 다름없어……. 정말 이상하지?"

……잉빌드는 약간 안타까운 어조로 그렇게 말했다.

격세유전으로 악마의 피를 진하게 물려받은 그녀는 악마로서의 면이 매우 강하며, 수명 또한 악마와 비슷할 것이라고 한다.

그래서 백 년 정도로는 겉모습이 변하지 않는다. 아니, 악마이니 겉모습은 마력으로 얼마든지 바꿀 수 있다. 그러니 나이에 따른 육체의 변화는 없다고 해도 과언이 아닐 것이다.

　하지만 잠들기 전까지만 해도 인간으로서 살아온 그녀는 그런 것들을 이해할 수 있을 리가 없다.

　백 년 넘게 잠들어 있었는데, 살아있다. 나이를 먹지도 않고, 거울에 비친 자신의 모습 또한 열일곱 살 때와 똑같다.

　그녀는 인상적인 말을 입에 담았다.

　"아빠와 엄마는 이미 돌아가셨대. 옆집에 살던 할머니도, 언덕 위에 살던 그 애도, 생선을 가져다주던 어부 아저씨도, 이제 이 세상에는 없는 거네. ──마치, 내가 지금 꿈속에 있는 것만 같아."

　……나는 무슨 말을 하면 좋을지 짐작조차 되지 않았다.

　이런 경우는 처음이니까…… 난감한걸…….

　그런 와중에 아시아가 입을 열었다.

　"잇세 씨. 다 같이 바다를 보러 가지 않겠어요?"

　──윽.

　오, 오오오오오오! 나이스 아이디어야, 아시아! 역시 내 장래의 마누라라니깐!

　"그거 좋은 생각이야! 잉빌드!"

　나는 자리에서 일어나며 잉빌드에게 말했다.

　"바다에 가자! 내가 동료들을 설득해서, 너를 바다에 데려가 줄게!"

그녀는 바다를 보기 위해 돌아다녔다고 말했다.

그러니 바다를 본다면 뭔가를 떠올리거나, 가라앉아있던 기분이 좋아질지도 모른다!

잉빌드는 영문을 모르겠다는 듯이 고개를 갸웃거렸지만, 나는 곧 동료들과 상의하러 갔다——.

— ○ ● ○ —

"여름방학이 끝난 후에 바다에 오는 것도 좋은걸!"

"맞아!"

수영복 차림의 제노비아와 이리나가 그렇게 말하며 바다에 뛰어들었다.

나는 잉빌드의 이야기를 듣고 리아스를 비롯한 동료들에게 자초지종을 말해 줬다. 그리고 감시를 철저하게 하는 것과 동시에 그녀를 노리는 자들에 대한 경계를 강화하기 위해, 신구 오컬트 연구부를 중심으로 한 멤버들과 함께 바다에 가기로 합의했다.

그리고 다음 날, 우리는 전이를 통해 그레모리가 소유한 인간계의 해변으로 이동했다.

지난번에 방문했던 곳과는 다른 해변이다. 무인도 중 한곳이며, 새하얀 모래사장이 펼쳐진 이곳의 전망은 정말 끝내줬다! 푸른 바다는 그냥 보고 있기만 해도 기분이 들뜬다니깐!

섬 주위에는 로스바이세 씨의 결계술이 펼쳐져 있다.

그리고 경계용 박쥐를 사방에 배치한 흡혈귀들은 뜨거운 햇살

이 쏟아지고 있기에 이 섬의 동굴 안에서 대기하고 있었다. 순혈 흡혈귀인 에르멘힐데에게 이 햇살은 꽤나 버거울 것이다.

햇살 아래에서도 아무렇지 않은 데이라이트 워커인 개스퍼는 파라솔 밑에서 "더워요……." 하고 중얼거리며 축 늘어져 있었다.

그런 이들도 있는 가운데, 우리는 수영하는 멤버들과 파라솔 밑에서 쉬는 멤버들로 나뉘어서 바다를 즐겼다. 뭐, 여자들이 전부 수영복으로 갈아입어준 덕분에 나는 눈보신을 하며 만족하고 있지만 말이야!

한편, 잉빌드는——.

"……."

모래사장에 멍하니 서서 바다를 지그시 응시하고 있었다.

우리도 그녀에게서 눈을 떼지 않으며 계속 살폈다.

내가 아시아에게 말했다.

"그건 그렇고, 아시아가 바다에 가자고 말할 줄은 몰랐어."

내가 그렇게 말하자, 아시아는 미소를 지으며 대답했다.

"처음 와보는 곳을 돌아다니다 보면 불안할 테니까요……. 조금이라도 잉빌드 씨가 정신적으로 여유를 가질 수 있는 장소에 데려가주면 좋을 것 같았어요."

——윽.

……그래. 아시아는 지니고 태어난 힘 때문에 원래 살던 곳에서 쫓겨나, 일본까지 오게 된 거였지…….

아시아는 잉빌드와 자신을 겹쳐서 보고 있는 걸지도 모른다.

내가 로스바이세 씨에게 물었다.

"잉빌드를 노리는 자가 이곳에 나타나더라도 걱정할 필요는 없죠?"

바다에 관련된 세이크리드 기어를 지닌 잉빌드를 바다에 데려가는 것은 상당한 모험이라고 생각하지만, 그런 만큼 그녀를 유괴했던 자가 모습을 드러낼 가능성 또한 크다.

로스바이세 씨가 말했다.

"예, 적이 이곳에 나타난다면, 그녀를 강제적으로 그리고리의 연구시설에 전송되게 하는 마법을 펼쳐뒀어요. 애초부터 그녀가 저희 쪽에서 안정을 찾고 나면, 그곳으로 데려갈 예정이니까요."

오오, 빈틈이 없는걸. 그렇다면 적이 잉빌드를 유괴하러 오더라도 그녀는 그리고리 측으로 전송될 것이며, 우리는 그 적을 해치우기만 하면 된다.

리아스가 로스바이세 씨에게 물었다.

"로스바이세, 아까 나한테 해 줬던 이야기를 다른 사람들에게 들려줬으면 해."

로스바이세 씨는 고개를 끄덕이더니, 파라솔 밑에서 쉬고 있는 멤버들에게 말했다.

"그리고리 측의 정보와 제 조사 결과에 비춰볼 때, 잉빌드 양에게는 떨어진 곳에서 강제적으로 조종할 수 있는 술법이 걸려 있어요. 세뇌 같은 거죠. 저희가 악마를 토벌하던 와중에 나타난 그녀가 무의식적으로 잇세 군과 보버 씨의 힘을 봉쇄한 것도 그래서예요. 게다가 상당히 강력할 뿐만 아니라 정확하게 기능하지 않는다는 모순을 품고 있는 상태죠."

강력한 세뇌 술법인데도 정확하게 기능하지 않는다……. 이상한 이야기다.

로스바이세 씨가 덧붙여 말했다.

"술법 자체는 신급 수준이에요. 술법의 형태는 고대 올림포스식이죠. 그녀를 유괴한 자는 지옥의 맹주들 중에서 올림포스 출신의 원초의 신일 거예요. 하지만 술법을 걸었는데도 정확하게 기능하지 않는 건, 잉빌드 양이 지니고 태어난 힘…… 아마 마왕 레비아탄의 자손으로서의 마력이 내성으로 작용했기 때문으로 추정되는군요. 신의 술법일지라도 마왕의 자손에게는 제대로 통하지 않았다 는 게 저의 견해예요."

나도 아까 이 이야기를 들었다.

그녀를 유괴한 상대는 올림포스 원초의 신이다. 지옥의 맹주들 중에 원초의 신이 몇 명 있다고 들었다.

신규 롱기누스의 정보를 얻자마자 바로 행동에 옮긴 점을 보면 정말 빈틈이 없다고나 할까…….

"술법을 해석 중이지만, 풀려면 조금 시간이 걸릴 것 같아요."

역시 로스바이세 씨야! 이미 술법을 해제할 방법을 찾고 있는 것 같다.

로스바이세 씨는 덧붙여 말했다.

"그리고리 측의 정보는 잉빌드 양의 세이크리드 기어에 관한 거예요. 드래곤을 제압하는 힘과, 바다를 조종하는 힘……. 아무래도 현재는 전자 쪽이 강한 것 같아요. 후자는 이제 첫걸음만 뗀 정도랄까요…….”

드래곤을 제압하는 힘이 더 강한 건가. ……개인적으로는 그쪽이 더 성가신데 말이야.

리아스가 말했다.

“어느 원초의 신이 흑막인지는 모르겠지만, 그 신이 탐내는 힘은 전자일 거야. 바다의 힘은…… 쓸 수 있더라도, 쓸모가 없을 거라고 봐.”

“그렇게 생각하는 이유가 뭐야?”

내가 그렇게 묻자, 리아스가 대답했다.

“명계에는 바다가 없어. 그러니 그런 힘을 쓸 수 있더라도 의미가 없지. 악마와 타천사가 방해되어서 없애고 싶더라도, 바다가 없으니 그 힘으로는 아무것도 할 수 없어. 명계에는 광대한 호수가 몇 개 있지만…… 과연 그 힘이 호수에도 효과가 있을까? 특성을 아종 변화시킨다면 가능성이 있지만……. 바닷가 마을에서 자랐고, 이런 상황에서도 바다를 보고 싶어 하는 잉빌드가 호수를 지배하는 능력을 후천적으로 습득할 가능성은 아직 낮다고 봐.”

리아스는 잉빌드를 쳐다보았다.

그녀는 바다를 계속 쳐다보고 있었으며, 때때로 바닷물에 발을 담갔다.

리아스가 이어서 말했다.

“게다가 인간계에서 바다를 지배하는 힘을 쓰지도 않을 거야.

인간들의 신이라면, 자신들을 숭배하는 존재에게 함부로 해를 끼치지는 않겠지. 무엇보다 신이라는 존재가 의미를 지니기 위해선 인간의 숭배가 필요해. 다른 세력의 초월적인 존재가 아무리 성가셔도, 인간계를 멸망시키는 것 같은 어리석은 짓은 벌이지 않을 거야. 될 대로 되라는 심정으로 그런 짓을 벌일 가능성은 있을지도 모르지만 말이야."

신이라도 자신들을 숭배하는 존재를 멸망시키지는 못한다는 건가. 듣고 보니 맞는 말이었다.

우리와 적대 중인 신은 리제빔 같은 악랄한 테러리스트가 아니다. 그럴 거라 믿고 싶다.

하지만, 쿠오우쵸와 그 주변에 정체불명의 악마나 그림 리퍼를 보내는 것을 보면, 인간 측에서 다소의 희생이 발생하는 것은 감수하려는 것 같다.

아케노 씨가 이런 말을 입에 담았다.

"하지만, 그쪽도 억지력이 될 힘…… 그런 측면에서 본다면 잉빌드 씨를 자신의 곁에 두고 싶다고 생각할지도 모르겠군요."

언제든 바다를 지배할 수 있잖아! 다른 세력에 압력을 가하기 위한 존재로 쓸 거라면 충분히 가치가 있을지도 모른다.

지금까지 들은 이야기를 정리해본다면, 지옥의 맹주들 중 한 명이자 원초의 신에 해당하는 존재가 잉빌드를 유괴했을 가능성이 크다.

잉빌드의 힘은 드래곤을 제압하는 쪽에 더 특화되어 있다.

그런 잉빌드에게는 세뇌의 술법이 걸려 있다. 하지만, 그 술법은 완벽하게 작용하고 있지 않으며, 적의 뜻대로 기능하고 있지 않다?

……원초의 신은 드래곤을 제압하는 힘을 원하는 걸까?

나는 말했다.

"흑막은, 잉빌드가 드래곤을 제압하는 힘을 탐내는 걸까?"

내 안에 있는 드래이그가 다른 이들에게 들리는 목소리로 말했다.

『드래곤은 모든 세력 안에서 최강의 생물이다. 특히 작금에 이르러서는 파트너나 발리 루시퍼, 크로우 크루아흐처럼 신급 존재조차 위협하는 이들도 있지. 게다가 드래곤의 힘을 통해 자신의 힘을 강화하는 방법도 확립되어가고 있지 않느냐. 파브니르를 조종하는 아시아 아르젠토나 용왕의 갑옷을 입은 사지 겐시로, 북유럽의 현 주신인 비다르가 그 예다. 노래의 힘으로 그런 강력한 드래곤을 사역할 수 있다면…… 각 세력 간의 현재 구도가 완전히 뒤엎어질 수도 있겠지.』

……그래. 최강의 생물을 제압해서 조종할 수 있다면, 각 세력 간의 균형이 무너질 수도 있어.

상위 롱기누스가 얼마나 대단한 것인지 다시 한번 깨달았다.

다른 상위 롱기누스——.

영웅파인 게오르크가 지닌 『디멘션 로스트』도 경지에 이르면 수많은 이들을 안개로 감싸서 단숨에 자신이 원하는 장소에 전이할 수 있다. 쓰기에 따라서는 국가를 멸망시킬 수도 있는 것이다. 생물이 존재할 수 없는 곳으로 강제 전이시킨다면……
상상만 해도 무시무시했다.

　게오르크와 마찬가지로 영웅파 소속인 레오나르도가 지닌
『어나이얼레이션 메이커』도 거대한 괴수를 대량으로 생산할
수 있으며, 조그마한 나라 정도는 단숨에 유린할 수 있다.

　신조차 멸하는 구현(具現)──. 롱기누스는 그렇게 불리고 있
으며, 거기에 이름을 올린 세이크리드 기어가 보유한 능력은 역
시 비정상적일 정도로 강대했다.

　각 세력이 롱기누스 소유자를 엄격하게 감시하는 것도 당연했
다.

　……뭐, 적대적인 태도만 취하지 않는다면 꽤 자유롭게 행동
할 수 있지만 말이다. 나를 비롯한 롱기누스 소유자는 갇혀 있
거나 철저하게 감시를 당하고 있지 않으니까.

　……잉빌드도 그렇게 되었으면 좋겠네.

　그러니, 그녀를 세뇌한 자로부터 지켜줘야만──.

　리아스가 미소 지었다.

　"우후후. 잇세의 얼굴에는 저 애를 반드시 지켜주겠다고 적혀
있네."

　내 생각이 표정으로 드러난 걸까?

　나는 뒤통수를 긁적이면서 쓴웃음을 지었다.

　"하하하. 곤경에 처한 여자애를 보면 무심코 그렇게 되네."

　내가 그렇게 말하자, 파라솔 밑에 모여 있던 여성들이 웃음을
흘렸다.

아시아가 말했다.

"그 덕분에 저도 구원받았어요."

아케노 씨가 뒤이어 말했다.

"그게 저희 서방님의 매력이에요. ──참."

아케노 씨는 가지고 왔던 여러 개의 바스켓을 가지고 오더니, 그 안에서 샌드위치와 주먹밥을 꺼냈다!

"식사를 하죠."

오오! 아케노 씨가 직접 만든 도시락이구나! 이거, 기대되는걸!

바다에서 놀던 이들도 도시락을 꺼냈다는 걸 안 건지 우리 쪽으로 뛰어왔다.

"도시락이구나!"

"나도 먹을래!"

제노비아와 이리나도 파라솔 아래로 쏜살같이 뛰어왔다.

"……빨리 먹죠."

먹는 걸 좋아하는 코네코는 이미 접시와 음료수를 꺼내놓으며 임전태세를 취했다.

레이벨이 나에게 말했다.

"잇세 님, 잉빌드 님도 불러서 같이 식사를 하죠."

나는 그 말을 듣고 몸을 일으켰다.

"오케이. 내가 불러올게."

그리고 잉빌드를 향해 걸어갔다.

여전히 바다를 바라보고 있는 그녀에게 다가가 보니──.

"──♪ ────♪"

그녀의 노래가 들렸다.

드래곤에게 영향을 끼치지 않는, 평범한…… 아니, 아름다운 노랫소리였다. 듣는 이들을 기분 좋게 해 주고, 치유해 주는 듯한, 그런 상냥한——.

잉빌드는 내 기척을 느낀 건지 노래를 멈췄다.

"역시 노래를 잘 부르네."

내가 찬사를 보내자, 잉빌드는 잠시 침묵한 후에 입을 열었다.

"……고마워."

"아, 빈말이 아니라 진짜로 네가 노래를 잘 부른다고 생각해."

내가 그렇게 말하자, 그녀는 고개를 저었다.

"바다에 데려와줘서 고마워."

잉빌드가—— 드디어 웃음을 보였다. 정말, 정말 귀여운 미소였다.

나는 잉빌드의 옆에 서서 말했다.

"바다를 참 좋아하나 보구나."

"……바닷가 마을에서 자라서 그런지, 바다 소리, 바다 색깔, 바다 냄새, 그 모든 걸 당연시했어."

그렇다면 바다를 좋아하는 것도 납득이 되는걸.

나는 그녀에게 말했다.

"다음에 또 바다에 오자."

"하지만 나는 곧 내 힘을 연구하는 곳으로 가게 되지? ……다시는 바다에 오지 못할지도 몰라."

"그렇지 않아. 내가 너를 바다에 데려가 줄게."

그녀의 오렌지색 눈동자가 나를 향했다——.

"정말?"

"응. 나는 이래봬도 악마 세계에서 좀 유명인이거든. 그리고 높으신 분들과도 좀 친분이 있어. 여자애를 바다에 데려가는 것 정도는 충분히 가능할 거야. 내 친구다! 하고 말하면 그 정도는 가능할 거야. 연구소에서 안 된다고 하면 이렇게 말해 주면 돼. '나는 찌찌드래곤의 친구야!' 하고 말이야. 그러면 거기 사람들도 꽤 편의를 봐줄 거야."

그녀는 내 말을 듣고 약간 얼이 나간 듯한 표정을 지었지만, 곧 작게 웃음을 흘렸다.

"후훗, 알았어. 나, 『찌찌드래곤』의 친구가 될래."

"응, 친구가 되자. 그리고 다들 나를 잇세라고 불러. 너도 그렇게 불러줘."

"잇세⋯⋯. 알았어, 잇세."

다행이다. 이 애와 친해질 수 있을 것 같았다. 백 년 넘게 잠든 채 지낸 잉빌드는 의지할 가족도 없다. 그녀는 몸에 깃든 힘에 의해 자신의 운명을 농락당해왔다.

적어도, 나는 그녀의 친구가 되어주고 싶다고 진심으로 생각했다.

아, 깜빡했다. 나는 그녀에게 같이 밥을 먹자는 말을 하러 왔던 거다.

"잉빌드. 식사——."

내가 잉빌드에게 말을 건네려고 한 바로 그때였다.

——이 무인도의 하늘이, 어둠에 물들었다!

　화창하던 하늘이 암흑으로 뒤덮이더니, 마치 밤이 되어버린 것만 같았다!

　그런 하늘을 본 내 동료들도 자리에서 일어나더니, 경계태세를 취했다!

　로스바이세 씨가 하늘을 올려다보았다! 그러자 이 무인도를 감싼 결계에 영향이 발생하기 시작했다! 하늘의 일부에 금이 가기 시작한 것이다!

　외부로부터 공격을 받고 있는 게 틀림없었다!

　"큭!"

　로스바이세 씨가 하늘을 향해 손을 뻗더니, 마방진을 펼쳤다. 내부에서 결계의 강도를 강화하려는 것 같았다.

　하지만 그 전에 결계가 파괴됐다! 파직! ——하고 깨지는 소리가 들리더니, 이 무인도를 둘러싼 결계가 파괴됐다.

　결계가 부서진 직후, 모래사장 한편—— 우리의 눈앞에 거무튀튀한 아우라가 소용돌이치더니, 그 안에서 인간의 형태를 한 무언가가 모습을 드러냈다.

　그 자는—— 하늘하늘한 느낌의 귀여운 옷을 입은 여성이었다. 흑발 롱헤어에, 보호본능을 자극할 듯한 앳된 외모를 지녔다. 게다가 저 옷은 가슴을 어마어마하게 강조했다! 코르셋 점퍼스커트를 입어서 그런지 가슴이 돋보이고 있었으며, 그쪽으로 계속 눈길이 갔다! 가슴 크기가 상당하네!

　하지만, 그 여성은—— 막대한 암흑의 아우라를 두르고 있었고, 그 점이 그녀가 범상치 않은 존재라는 사실을 여실히 드러내고 있었다.

나는 잉빌드의 앞에 서며 경계태세를 취했다. 상대가 잉빌드를 쳐다봤기 때문이다.

그녀가 바로 잉빌드를 노리는 흑막이 틀림없어 보였거든.

암흑의 아우라를 뿜고 있는 이 귀여운 외모의 여성은 자신의 머리카락을 쓸어 넘기면서 당당한 목소리로 자신의 이름을 밝혔다.

『「일성의 적룡제」 효도 잇세이와 그 주인인 리아스 그레모리, 맞지? 만나서 반가워. 나는 올림포스 원초의 신 중 하나인 밤의 여신 닉스야.』

──밤의 여신, 닉스! 원초의 여신이 등장한 건가!

다들 그 말을 듣고 더욱 경계심을 품었다.

아우라의 기질에서 악의 같은 게 느껴졌다!

나는 언제 공격을 받아도 대처할 수 있도록 진홍의 갑옷을 장착했다.

상대방은 그런 나를 보고 유쾌한 듯한 반응을 보였다.

닉스는 입가에 손을 대며 웃음을 흘렸다.

『호호호, 당대의 적룡제는 호색한이라고 들었지만, 방심하면 안 되겠네. 내면에 존재하는 용의 아우라가 실로 무시무시해.』

나한테 깃든 힘만이 아니라, 나의 현재 몸이 무엇으로 구성되어 있는지 파악한 듯한 발언이었다.

나는 『마수 소동』이라는 큰 사건 때, 육체를 잃었다. 그리고 두 용신—— 아포칼립스 드래곤 그레이트 레드와 우로보로스 드래곤 오피스의 힘을 빌려서 부활한 것이다.

지금의 내 몸은 그레이트 레드와 오피스의 영향을 강하게 받았다.

나는 닉스에게 물었다.

"잉빌드를 어쩌려는 거지?!"

닉스는 잉빌드를 쳐다보면서 말했다.

『이 아이가 지닌 롱기누스의 특성은 경이적이야. 완전히 터득하기만 한다면, 바다를 조종할 뿐만 아니라 온갖 드래곤의 기능을 정지시킬 수 있거든. 힘의 상징인 드래곤을 굴복시킬 수 있다……. 너희도 눈치챘겠지만, 내가 원하는 건 드래곤을 굴복시키는 힘이야. 흉악한 드래곤인 너나 백룡황 발리 루시퍼, 사룡 크로우 크루아흐는 장차 우리에게 위협적인 존재가 될 테니까 말이야. 그러니 대항책이 필요해. 그리고 궁극적으로는 오피스와 그레이트 레드도 지배하고 싶네.』

자기 속셈을 딱 잘라 다 털어놓는군!

저렇게 적의에 찬 발언을 늘어놓으니, 오히려 시원시원하게 느껴질 정도라고.

하지만 잉빌드를 이용하는 건 절대 용납 못해!

"이 아이를 이용하는 건 두고 볼 수 없어! 그리고 네가 신일지라도 여성인 이상, 나에게는 필승법이 있다고!"

잉빌드를 다시 납치하러 온 걸지도 모르지만, 그렇게는 안 돼!

——선수필승이다!

나는 머릿속으로 망상을 하면서 정체불명의 핑크빛 공간을 만들었다!

그러자 마력이 사방으로 퍼져 나갔다!

"번뇌 해방!!!! 유어번역(乳語飜譯)!!!"

내 기술 중 하나다! 망상을 통해 독자적인 마력공간을 해방한후, 여성의 가슴에서 상대방의 속내를 듣는 것이다.

그러면 상대방의 가슴이 주인의 마음을 대변해 준다. 이 기술은 성공률이 100%에 가까우며, 여성 한정이라는 제한이 있기는 해도 펼치기만 하면 막을 수 없다!

물론 남자 따위에게 이 기술을 쓸 생각은 없어! 나는 여성의 가슴에 물어보고 싶거든!

"어이! 여신님의 찌찌! 나에게 네 목소리를 들려줘!"

나는 닉스의 속내를 알아내려고 여신의 가슴에 말을 걸었다!

내 마력은 완벽하게 닉스를 감쌌다! 이제 가슴의 말을 듣기만 하면 된다!

…………하지만, 아무리 기다려도 닉스의 가슴은 아무 말도 하지 않았다.

……말도 안 돼. 필중, 필살에 가까운 내 기술이…… 실패한 거야?! 통하지 않은 거냐고!

나는 이 충격적인 결과에 놀라며 쥐어짜낸 듯한 목소리로 외쳤다.

"…………버스트링궐이, 통하지 않아!"

""" 뭐?!"""

동료들은 내 말을 듣고 충격을 받은 것 같았다.

"마, 말도 안 돼. 잇세의 찌찌 기술이 통하지 않는 여자가 있다는 거야?!"

제노비아가 고함을 질렀다.

"호, 혹시, 신급 존재에게는 효과가 없는 걸까?!"

이리나가 뒤이어 입을 열었다.

"요, 용신화를 하지 않은 상태에서 썼기 때문일지도 몰라요!"

개스퍼가 그런 가능성을 점쳤다.

그렇다. 나는 지금보다 한 단계 더 강해지는 변신을 할 수 있다. 신급 존재와 싸울 수 있을 정도의 힘을 얻을 수 있지만, 엄청난 피로를 동반하기 때문에 꼭 필요할 때만 사용한다.

뭐, 상대는 원초의 여신이자 밤의 여신인 닉스다. 이 진홍의 갑옷을 걸친 상태에서는 내 힘이 그녀에게 통하지 않을지도 모른다.

본격적으로 싸운다면, 그 형태를 쓸 수밖에 없을 것이다.

하지만, 닉스는 개스퍼가 한 말을 부정했다.

『후후후, 그렇지 않아. 나는 「찌찌드래곤」 대책을 세웠을 뿐이야.』

대책을 세웠다고? 나를 상대하기 위해서? 그걸로 버스트링귈을 막은 거야?

사실 내 기술은 매우 유명하다. 닉스가 알고 있는 것도 당연했다. 속내가 들통 나면 위험하다고 판단해서, 미리 대책을 짠 것이다.

하지만 나에게는 다른 방법이 있다!

여성 한정 기술은 더 있거든!

"그럼 네 옷에 손을 대서, 드레스 브레이크를 먹여주겠어!!"

드레스 브레이크! 저 귀여운 옷을 갈가리 찢어주지! 그리고 닉스가 나를 상대하기 위한 대책이랍시고 펼쳐준 술법도 없애주겠어!

내 드레스 브레이크는 여성의 옷만이 아니라, 상대의 몸에 걸린 술법도 전부 없앨 수 있다!

나는 갑옷의 등에 달린 부스트를 작동시키며 닉스를 향해 돌진하려고 했다.

바로 그때, 리아스가 나를 말렸다.

"기다려, 잇세! ……뭔가 이상해. 마치 드레스 브레이크를 쓰도록 유도하고 있는 것 같아!"

──윽!

닉스가, 내가 드레스 브레이크를 쓰도록 유도하고 있다……?

내가 미심쩍어 하면서 닉스를 쳐다보자, 그 여신은 자신만만한 미소를 지었다.

『역시 리아스 그레모리야. 적룡제의 주인다워. 맞아. 나는 적룡제의 공격을 기다리고 있어. 그러면 그를 간단히 죽일 수 있거든.』

나를 간단히 죽일 수 있다고?! 신이라 그 정도는 식은 죽 먹기라는 거냐!?

여유 넘치는 여신의 표정을 보며 내가 당황한 가운데, 닉스는 자신의 귀여운 옷을 손으로 매만지며 말했다.

『나는 적룡제 대책 삼아서 이 옷을 만들었어. 이 옷의 명칭은 바로「동정을 죽이는 신의(神衣)」야.』

"""──으윽?!"""

그 말을 들은 순간…… 나를 비롯해 이 자리에 있는 이들 전원이 경악했고, 그 직후…… 말로 형용할 수 없는 분위기가 형성됐다!

도, 동정을 죽이는 옷?! 나, 나는 아직…… 동정이긴 해! 저 귀여운 옷은 동정에게 효과가 있다는 거야?!

내가 유심히 쳐다보니, 닉스가 입은 귀여운 옷에서는 흉흉한 파동이 뿜어져 나오기 시작했다!

닉스는 차가운 조소를 머금으며 즐거운 어조로 말했다.

『동정의 공격을 완벽하게 차단할 수 있도록 신경 써서 만든 거야. 그 바람에 통하는 상대가 한정되기는 하지만, 적룡제가 동정이라는 정보는 이미 입수했거든. 아무래도 효과는 절대적인 것 같네.』

그, 그리고 보니 아까 버스트링퀼이 통하지 않았다!

그렇다면 드레스 브레이크도……! 아니, 저 옷에 손을 대기만 해도 나는……!

직접 손을 대지 않고도 드레스 브레이크를 쓸 수 있지만, 저 옷을 입고 있는 닉스에게는 아마 효과가 없을 것이다!

닉스는 치맛자락을 슬며시 움켜쥐며 말했다.

『동정인 네가 내 몸에 손을 대면, 그 순간 저주가 발동되어서

죽어. 그리고 동정의 공격 또한 전부 무효화돼. ──네 공격은 나에게 통하지 않는다는 거야, 적룡제 효도 잇세이.』

…………으윽!

…………겨, 겨우 저딴 옷으로 내 공격을 완전히 막아낼 수 있다는 거냐…….

"그, 그럴 리가 없어!"

나는 마력탄── 드래곤샷을 닉스에게 날렸다! ──하지만, 닉스는 그것을 정통으로 맞고도 전혀 대미지를 입지 않았다! 동정의 공격이 진짜로 통하지 않는 건가?!

나는 충격을 받은 나머지 이 자리에서 무너지듯 주저앉았다!

첫 경험을 하지 않은 게 이제 와서 약점이 될 줄이야……!

아니, 동정만 죽이는 저주는 또 뭐야?! 이 세상은 그렇게 냉혹한 거야?!

이 결과를 본 아케노 씨가 진지한 어조로 말했다.

"……역시 억지로라도 잇세 군과 첫 경험을 할 걸 그랬군요."

코네코는 말로 형용할 수 없는 표정을 지으며 이렇게 말했다.

"……일단 '저질이에요'라고만 말해 둘게요."

응, 나도 정말 저질스러운 상황이라고 생각해!

바로 그때, 제노비아와 이리나가 앞으로 나서면서 무기를 꺼내들었다.

"나와 이리나는 여자야. 그 옷도 우리한테는 효과가 없어!"

"응, 맞아! 나중에 달링의 약점도 없애줄 거야!"

"그 말은 잇세와 관계를 가지겠다는 거야? 역시 에로 천사라니깐.”

“정말! 그, 그런 뜻으로 한 말이 아냐!”

……이 검사 콤비는 정말…….

이 상황을 본 닉스가 웃음을 흘렸다.

『뭐, 여성이 상대라면 이 옷도 효과가 없긴 해. 하지만 적룡제를 무력화시킨 것만으로도 효과는 충분해. ——신이라는 존재가 얼마나 강대한지, 너희도 모르지는 않잖아?』

닉스는 압도적인 위압감을 온몸으로 뿜었다!

그것만으로도 주위의 공기가 소용돌이치면서 강렬한 바람을 자아냈다. 바다도 거칠어지기 시작했다!

몸에 두른 아우라의 질과 양만 봐도, 지금의 우리에게 꽤 벅찬 상대인 것은 틀림없다!

이 자리에 있는 이들 중에서 단독으로 신급 존재에게 맞서 싸울 수 있는 멤버라면, 나 말고는…… 리아스뿐이다. 개스퍼의 진정한 힘을 몸에 두른 그녀라면, 절대적인 마력을 펼칠 수 있는 것이다.

하, 하지만, 개스퍼도 나와 마찬가지로…… 여성 경험이 없을 테니, 리아스와의 합체기가 닉스에게 통하지 않을 가능성이 있다.

키, 키바는…… 어떨까? 『악마영업』 때 여성 손님을 자주 상대했는데…… 나와 마찬가지로 닉스를 경계하는 걸 보면…….

아, 아무튼, 용맹한 동료 여성들이 전투태세를 취했다.

이런 상황에서 전혀 도움이 못 되어서 정말 죄송합니다!

내가 마음속으로 사과하고 있을 때였다. 닉스는 자신의 승리를 굳히려는 듯이 요사한 빛을 눈동자에 머금으며 이렇게 말했다.

　『잉빌드. ──노래하렴.』

　내가 뒤편에 있는 잉빌드를 돌아보니──.

　"……으으…… 으으으으으으으으!"

　그녀는 고통을 호소하며 그 자리에서 무너지듯 주저앉았다! 닉스는 세뇌 술법으로 잉빌드에게 지시를 내린 것이다! 로스바이세 씨가 건 강제전이 술법도 발동하지 않는 건, 원초의 신이 지닌 힘 때문일까?!

　"잉빌드! 괜찮아?!"

　내가 그녀에게 다가가려고 한 바로 그때였다.

　그녀의 오렌지색 눈동자에 요사한 빛이 감돌더니, 연보랏빛 입자가 주위에 생겨나기 시작했다!

　그리고 잉빌드가 입을 열었다──.

　"── ♪ ──── ♪"

　아름다운 노랫소리──. 그 순간, 내 몸에서 힘이 빠져나갔다──.

　……시야가 흐트러지더니, 뇌가 빙글빙글 도는 듯한 느낌이 들면서, 더는 서있을 수가 없었다…….

　진홍의 갑옷도 해제된 나는 그대로 모래사장에서 무너지듯 무릎을 꿇었다…….

　"……큭!"

고통스러워하고 있는 건 나만이 아니었다.

『……크, 크으으으으으……! 이, 이건…… 힘이……!』

드래이그도 고통에 찬 신음을 흘리고 있었다…….

이 정도로, 드래곤에게 효과적인 능력이라니……! 안티드래곤——「드래곤 슬레이어」 중에서 궁극의 힘을 지닌 건 『드래곤 이터』 사마엘이지만……! 잉빌드의 힘도…… 무시무시, 한 걸……!

……드래이그, 용신화 형태라도, 이 노래의 영향에서 벗어날 수 없는 거야?

『지, 지금보다는 내성이 생기겠지……. 하지만, 본연의 기능을 전부 발휘하지는 못, 가능성이…… 클 거다……!』

용신화를 해도…… 완전히 막아내지는 못하는 건가……! 상위 롱기누스는 정말 무시무시하네……!

닉스는 고통스러워하는 나를 쳐다보면서 웃음을 흘렸다.

『내가 이 아이를 조종하기 위해 술법을 걸어둔 건 알고 있지? 나는 그 술법으로 세이크리드 기어를 원격 조작할 수 있어. 그러니 오늘 데리고 돌아갈 필요도 없는 거야. ……뭐, 제어할 수 없는 부분도 있지만, 너희와…… 아니, 너와 잉빌드를 만나게 한 건 옳은 판단 같네.』

…………그게 무슨 소리지?

내가 영문을 모르겠다는 반응을 보이자, 닉스는 자신의 악의를 말이라는 형태로 드러냈다.

『네가 저 아이의 처지를 안다면, 무시하지 못할 거잖아? 그리고리의 시설에 보내면, 우리가 그녀를 노릴지도 몰라. 곁에 두면 조종을 당해 자신들에게 피해가 발생할지도 모르지. 여러모로 다루기 힘든 애지? 그렇다면 차라리 봉인이라는 명목으로 다시 재울 것인가, 아니면—— 죽일 것인가. 하지만, 너는 어느 쪽도 선택할 수 없을걸? 상냥하디 상냥한 「찌찌드래곤」이니까 말이야.』

………….

이 녀석은…… 그걸 알면서, 이 상황을 만든 거냐……!!

나와 잉빌드가 만나면, 내가 그 처지를 알면, 그녀가 어떤 존재일지라도 지키려 하리라는 것을 알고 있었던 것이다……!!!

봉인? 죽여? 그런 짓을 어떻게 해!!! 어떻게 하냐고!!!

나는, 이 아이와 만나서, 이야기를 나눴고, 함께 웃었어!!!

친구라고 여긴 애를 해칠 순 없어!!! 무시할 순 없단 말이야!!!

이 여신은 그걸 알고 있었던 것이다! 처음부터 이렇게 될 줄 알고……!!!

"너만은…… 용서 못해……!!!"

나는 노래의 특성 때문에 몸에 힘이 들어가지 않는 상태에서도, 억지로 몸을 일으켰다.

너무 분한 나머지, 눈물이 맺힌 눈으로 닉스를 노려보았다!

닉스는 비웃으면서, 나에게, 우리에게 말했다.

『정 저 아이를 구하고 싶다면, 나를 쓰러뜨릴 수밖에 없어. 저 아이에게 걸린 술법은 해제가 되더라도 곧 다른 프로젝트가 발동하게 되어 있거든. 그런 걸 몇 겹으로 걸었어. 너희 쪽에 전문

가가 있더라도, 그걸 풀려면 적어도 반 년은 걸릴걸? 반 년 정도면 잉빌드를 이용해서 많은 일들을 할 수 있을 거야. 그게 싫으면, 빨리 봉인해. 죽이는 것도 좋겠네. 선택은 너희에게 맡길게! 하하하하하하하하하하하핫!』

밤의 여신은 그렇게 말한 후, 아우라를 뿜으며 하늘로 날아올랐다.

닉스가 사라진 후, 무인도를 감싸고 있던 암흑도 해제되더니, 원래의 맑은 날씨로 되돌아갔다.

그와 동시에 잉빌드의 세뇌도 풀린 건지, 그녀는 그 자리에서 쓰러졌다.

모래를 움켜쥔 나는 닉스가 사라진 방향을 쳐다보며, 마음속으로 맹세했다.

――내 친구에게 해를 끼치려 한 녀석은 신이든…… 여신이든, 전부 날려버릴 거야.

닉스, 너는 내가 반드시 쓰러뜨리겠어――.

Life.4 몇 번이든, 친구를 구하겠습니다!

우리는 해변에서 효도 가로 귀환했다.

그리고 잉빌드를 손님용 침실에 뉘인 후, 상층부에 상황을 보고했다.

효도 가 상단부에 있는 VIP룸에서, 우리는 마방진을 이용한 통신을 통해 마왕 바알제붑 님에게 앞으로 어떻게 할 것인지에 대해 이야기했다.

하지만, 내가 할 일은 정해져 있다!

바알제붑 님께서 말씀하셨다.

『닉스의 행동에 대한 사실 확인을 각 세력에 요청할 생각이지만…… 올림포스의 현 주신인 아폴론 님에게서 이미 허락을 받아뒀다.』

"──그 말씀은…….."

리아스가 그렇게 발하자, 바알제붑 님은 딱 잘라 말씀하셨다.

『「D×D」가 닉스를 쓰러뜨리는 건 용인하겠다고 하셨다. 단, 소멸이 아니라 봉인하는 선에서 그쳐줬으면 한다더군.』

──윽! 그건 기쁜 소식이다!

나는 오른 주먹으로 왼손바닥을 때렸다! 닉스가 속한 신화의 주신—— 아폴론 씨가 토벌을 허락한 것이다! 올림포스 측도 닉스가 토벌당해도 마땅한 짓을 했다고 판단한 것 같았다.

하지만, 상대가 어디에 있는지 몰라서야……. 이래서는 쳐들어가고 싶어도 갈 수가 없어.

——바로 그때, 두 사람이 이 방에 들어왔다!

"훗, 역시 신에게 쳐들어가려는 건가. 너희다운걸."

그렇게 말한 조조와 함께—— 털이 검은색인 대형견을 데리고 있는 남성이 안으로 들어왔다. 검은 개—— 진(刃)을 거느린 사람은 타천사 조직 그리고리의 에이전트 부대『슬래시 독』팀의 리더인 이쿠세 토비오 씨였다. 검은 전투복을 입었으며, 그 위에 검은색 코트를 걸치고 있다.

이쿠세 씨는 테러리스트 대책팀『D×D』의 멤버이기도 했다.

"조조. 이쿠세 씨."

내가 두 사람을 쳐다보자, 이쿠세 씨는 인사를 하면서 충격적인 말을 입에 담았다.

"여어, 효도 잇세이 군. 정보를 가지고 왔어. ——닉스가 있는 은신처의 위치야."

"""——윽!"""

우리는 그 말을 듣고 경악했다! 당연했다! 그것은 바로 우리가 지금 필요로 하고 있는 정보였기 때문이다!

그리고 조조가 이어서 말했다.

"전부터 정체불명의 악마들의 출처…… 인간계에서의 거점을 찾고 있었는데, 마침 세 곳을 발견했지. 그중 하나는 사람들이 출입이 잦을 뿐만 아니라, 신급 존재의 반응도 포착됐어. 올림포스에서 제공해 준 정보에 비춰볼 때, 그곳에 닉스가 있을 가능성이 커."

정말이야?! 진짜 고마운 정보네!

바알제붑 님께서 말씀하셨다.

『일전에 조조 군이 언급했던 '조사'가 바로 이 정보를 얻기 위한 것이었다. 정체불명의 악마들의 동향, 거점을 알면 대처하기도 쉬울 거라고 생각했거든. 조조 군의 팀과 이쿠세 토비오 군의 팀에게 명계와 인간계에 존재하는 그들의 거점을 조사해 달라고 요청했지.』

그랬구나! 두 팀은 첩보에 능하니까 말이야! 그리고 성과도 내놓은 거네! 역시 대단해!

이럴 때에도 'D×D'에 속한 멤버들의 실력이 발휘되고 있는 것이다. 정말 믿음직했다. 위험한 사상을 지닌 녀석들의 억지력으로 작용하기를 기대하는 것도 납득이 될 정도다.

조조는 다시 우리에게 물었다.

"그렇게 된 거야. 그곳에 갈지 말지는 너희 마음이지만……나와 이쿠세 토비오는 최악의 케이스에는 철저하게 대처하라는 지시를 윗분들에게 받았어. 그게 뭔지는 말 안 해도 상상이 되지?"

"……잉빌드를 봉인하거나, 제거하라는 거지?"

내가 그렇게 말하자, 조조와 이쿠세 씨는 긍정의 의미가 담긴 눈길로 나를 쳐다보았다.

조조가 말을 이었다.

"봉인이란, 세이크리드 기어의 능력을 봉인하는 거다. 적어도 닉스의 능력이 해제될 때까지…… 밤의 여신을 쓰러뜨릴 때까지는 봉인해 두는 편이 낫다는 게 일반적인 생각이겠지만, 그것도 나름 리스크가 있지. 잉빌드 레비아탄은 세이크리드 기어의 힘에 눈뜬 덕분에 잠에서 깨어났다지? 그런데 세이크리드 기어를 봉인한다면, 그 병이 재발할 가능성이 커. 게다가, 다음에 다시 깨어날 수 있을 거라는 보장도 없지."

──윽! 뭐 그런 게 다 있어……! 겨우 다시 깨어났는데…….
그런 선택을 할 수는 없다……! 봉인＝죽음이나 다름없잖아!
그래선 닉스를 쓰러뜨려도 의미가 없어!

이쿠세 씨가 말했다.

"……가능하면 그러고 싶지는 않아. 나도 그녀의 처지를 알고 있거든. 최악의 케이스도 가능하면 피하고 싶어. ……하지만 선택을 해야만 하는 상황에 처한다면, 너희는 어떻게 할 생각이지?"

이쿠세 씨의 질문에 나는 바로 답하지 못했고──.

"……죽여도 돼."

바로 그때, 뒤편에서 불쑥 목소리가 들려왔다. 내가 고개를 돌려보니, 잉빌드가 VIP룸의 문을 통해 안으로 들어왔다.

아무래도 정신을 차린 그녀가 우리가 하는 이야기를 들은 것 같았다.

그녀는 눈을 내리깔면서 말했다.

"내 힘이 많은 사람에게 피해를 준다면, 그냥 나를 죽여도 돼."

나는 그런 소리를 하는 잉빌드를 향해 외쳤다!

"무슨 소리를 하는 거야! 겨우 잠에서 깨어난 거잖아!"

잉빌드는 안타까운 표정을 지으며, 쥐어짜내는 듯한 목소리로 말했다.

"잠에서 깨어났지만, 나를 아는 사람은 이 세상에 없어…….
그러니까…… 내가 죽어봤자 아무도 슬퍼하지 않아."

그런 식으로 생각하고 있었던 건가…….

──마치, 내가 지금 꿈속에 있는 것만 같아.

잉빌드가 예전에 한 말이 나를 짓눌렀다.

자기도 모르는 사이에 병에 걸려 잠이 들었고, 깨어나 보니 백
년 이상의 시간이 흘렀다……. 부모님도, 알던 사람들도, 모두
이 세상에 존재하지 않는다는 것을 알았다.

자신이 죽은들, 아무도 슬퍼하지 않는다──. 그녀는 그렇게
생각하는 것 같지만, 그렇지 않다!

그렇지 않단 말이야!

나는 잉빌드를 똑바로 쳐다보며 말했다.

"그렇지 않아. 내가 슬퍼할 거야. 그래도, 죽을 거야?"

"──윽."

잉빌드는 내 말을 듣고 진심으로 놀란 것 같았다.

나는 개의치 않으며 말을 이었다.

"기묘한 만남이었지만, 만난 지 얼마 되지 않았지만, 나와 너
는 친구가 됐어. 그러니까, 도울 거야. 나를 믿어주지 않겠어?

또, 나와 함께 바다에 가자."

내 말에 동의한다는 듯이, 아시아가 잉빌드의 손을 잡았다.

아시아는 상냥한 표정을 지으며 잉빌드에게 말했다.

"잉빌드 씨. 잇세 씨를 믿어 주세요. 잇세 씨가 저를 구해 준 덕분에…… 저도 지금 이 자리에 있는 거예요. 그러니, 잇세 씨를 믿어 주셨으면 해요."

나는 이 상황에서 느껴지던 데자뷔의 정체를 깨달았다. …… 1년 반 전, 아시아와 만났을 때와 비슷한 상황인 것이다.

당시, 의지할 사람이 없이 이 일본에 와 있던 아시아는…… 슬픔에 젖어 있었다.

나는 그런 아시아를 격려해 줬다.

아시아도 그 시절의 자신과 잉빌드를 겹쳐보며 이런 말을 하고 있는 것이다.

아시아의 마음이 전해졌는지, 잉빌드는 뜨거운 눈물을 흘렸다.

"구해줘. 또 잠들어 버리는 건…… 나를 아는 사람을, 더는 잃고 싶지 않아……."

흐느낌이 어려 있는 그녀의 본심──.

그 말을 들은 것만으로도 충분했다. 나는 그것만으로도 싸울 수 있다. 신을 해치우러 갈 수 있다!

나는 이쿠세 씨에게 말했다.

"──가겠어요. 닉스는 제가 날려버리겠어요."

내가 그렇게 말하자, 이쿠세 씨는 만족스러운 미소를 지었다.

조조는 질렸다는 듯이 어깨를 으쓱하며 쓴웃음을 지었지만,

내가 이런 반응을 보일 거라고 예상한 눈치였다.

내가 기합에 찬 목소리로 그렇게 말하자, 리아스도 자리에서 일어나며 자신만만한 미소를 지었다.

"우리도 함께 하겠어, 잇세. 그레모리 권속을, 오컬트 연구부를 화나게 하면 얼마나 무서운지 똑똑히 가르쳐 주자."

역시 내 연인이야! 나와 한 마음 한 뜻이네!

그리고 다른 동료들도 "당연하잖아!", "날려버리자!" 같은 말을 하며 동의해 줬다!

좋아! 우리 모두의 뜻이 일치했으니, 쳐들어갈 준비를 하자!

──내가 그렇게 생각한 바로 그때였다.

제노비아가 내 손을 잡아끌었다.

"잇세, 쳐들어가기 전에 닉스 대비책을 실행에 옮기자."

"응? 좋아. 어떤 건데?"

내가 그렇게 묻자, 제노비아는 대답했다.

"──나를 안아. 지금이 바로 여자를 알아야 할 때야!"

──윽!

이, 이 아이는 정말……! 이럴 때에 그런 소리를 느닷없이 늘어놓는다니깐! 화, 확실히 닉스는 『동정을 죽이는 옷』을 입고 있으니, 지금 이대로는 어찌할 방법이 없기는 해!

"잠깐만 있어봐! 그 말은 제노비아가 달링의 첫 여자가 되겠다는 거지?! 그, 그건 엄청 중요한 일 같은데…….."

이리나가 말했다시피, 내 첫 경험은 매우 중요한 일이라고!

제노비아가 또 입을 열었다.

"지금은 그런 소리를 할 때가 아니잖아? 서둘러 마치는 편이 좋아. 나만 믿어. 지식은 충분히 가지고 있거든. 나와 잇세가 단 둘이 있게 해 준다면, 몇 분 만에 잇세가 닉스와 싸울 수 있게 만들어 주겠어."

바로 그때, 아케노 씨가 끼어들었다!

"그럴 수는 없어요. ——제가 첫 여자가 되겠어요. 그렇게 금방 끝내버린다면 서방님이 안쓰러울 것 같으니까요. 다들, 한 시간 정도만 자리를 비켜주세요. 그사이에 제가 서방님에게 여성이라는 존재를 충분히 맛보게 해드리겠어요!"

그 말을 들은 레이벨이 고함을 질렀다!

"자, 자, 잠깐만 기다려 주세요! 잇세 님의 첫 상대가 되어야 할 분은 리아스 님이에요! 그리고 이럴 때는 우선 리아스 님의 허락을 구해야 한단 말이에요! 무, 물론 저도 마음이 없는 건 아니지만요! 공적으로도, 사적으로도, 잇세 님의 매니저니까요!"

레이벨이 그런 발언(겸사겸사 대담한 발언도 입에 담았다!)을 하자, 이 자리에 있는 여성들의 시선이 리아스에게 몰렸다!

리아스는…… 얼굴을 새빨갛게 붉혔다!

그리고 몸을 배배 꼬면서 나에게 말했다.

"그, 그런 이유로 첫 경험을 하는 건 좀……. 하, 하지만, 아케노나 제노비아에게 새치기를 당하는 것도 싫어……! 이, 이렇게 된 이상, 내가 잇세의 첫 상대가 되겠어!"

여성들의 행동과 리아스의 숫처녀다운 반응을 본 나는 그대로 코피를 뿜었다!

하아, 다들 대체 무슨 소리를 하는 거냐고! 그래도 고마워! 내 정조를 이렇게 생각해 주는 그녀들을 보니, 마음이 든든하다고!

그 광경을 옆에서 보고 있던 조조가 불쑥 이런 말을 했다.

"닉스가 늘어놓은 말이 허풍일 가능성도 있어."

키바가 조조에게 물었다.

"그게 무슨 소리야?"

조조가 대답했다.

"일전에는 공격을 막아냈지만 실은 한도가 있어서, 연달아 공격을 하다 보면 옷에 걸려 있는 술법이 풀리는 거야. 어쩌면 『동정을 죽이는 옷』이라기보다 『드래곤의 공격을 막는 옷』이라는 게 진실일지도 모르지."

바알제붑 님께서도 조언을 해 주셨다.

『그 술법은 강력할지도 모르지만, 검은 갑옷의 롱기누스 스매셔라면 강제로 무너뜨리는 것도 가능하겠지. 혹은 멸망의 힘을 명중시키면——.』

아까부터 의욕적인 태도였던 여성들이 조조와 바알제붑 님의 말을 끊으며 동시에 고함을 질렀다.

""""정말! 괜한 소리 좀 하지 마세요!""""

여성들의 목소리에 실린 파워는 조조와 바알제붑 님도 압도할 정도였다.

결국, 내가 첫 경험을 마치면 진짜로 닉스와 싸울 수 있게 되는 건가? 라는 의문과 어쩌면 상대가 다른 술법을 숨겨두고 있을 가능성도 있다는 점, 그리고 첫 관계는 좀 더 무드 있는 분위기에 하는 편이 좋을 거라는 (여성들의) 의견을 수렴해, 내 긴급 첫 경험은 미뤄졌다.

그 후, 조조와 이쿠세 씨가 가르쳐준 닉스와 정체불명의 악마들이 있다는 장소에 가기 위해, 우리는 준비를 시작했다——.

— ○ ● ○ —

효도 가의 지하에는 대형 전이형 마방진이 그려진 방이 있어서, 대인원이 어딘가로 갈 때는 이곳에 모인다.

우리도 닉스가 있는 은신처 인근까지는 이 방에서 전이로 이동할 예정이었다.

전이의 방으로 향하던 나는 복도에서 어린 소녀 세 명과 마주쳤다.

몸집이 조그마한 로리 소녀 세 명이었다. 고딕롤리타 느낌의 의상을 입은 흑발 소녀, 그리고 그 소녀를 쏙 빼닮은 여자애는 오피스와 릴리스다.

그리고 남은 한 사람은 금발에 여우 귀가 머리에 달려 있으며, 엉덩이에 여우 꼬리가 달린 소녀—— 쿠노였다.

오피스는…… 복잡한 경위로 우리와 함께 지내게 됐다. 그녀는 원래 『카오스 브리게이드』의 우두머리였다. 귀여운 외모를 지녔지만, 실은 세계 최강의 존재—— 『우로보로스 드래곤』이다.

이런저런 일에 휘말린 오피스는 결과적으로 우리에게 보호를 받게 됐다. 그녀가 지니고 있는 힘 또한 예전에 비하면 약했다.

　그런 오피스와 똑같이 생긴 애가 바로 릴리스다. 그녀는 오피스의 분신체다.

　이쪽 또한…… 복잡한 경위로 우리 집에서 살게 되었다. 그리고 악마의 어머니 릴리스와 같은 이름을 지녔기 때문에, 동료가 '릴리스' 라는 이름을 입에 담으면 『어느 쪽이지?』 하고 생각할 때도 있다. 릴리스도 오피스와 마찬가지로 우리가 보호하고 있다.

　쿠노는 교토의 요괴를 이끌고 있는 구미호—— 야사카 씨의 딸이며, 요괴들의 공주다. 작년에 교토에서 조조를 비롯한 영웅파가 일으킨 사건 때 만났으며, 그 후로 효도 가에서 홈스테이를 하게 됐다.

　현재 쿠노는 쿠오우 학원 초등부에 다니며 인간계에서의 삶을 배우고 있다. 오컬트 연구부의 예비 부원이기도 했다.

　세 사람이 내 앞에 섰다. 쿠노는 걱정스러운 얼굴을 하고 있었다.

　"잇세, 들었느니라. 나쁜 신과 싸우게 됐다지?"

　나는 미소를 지었다.

　"응. 내 친구를 울렸거든. 쳐들어가서 따끔한 맛을 보여줘야 하지 않겠어?"

　내가 그렇게 말하자, 쿠노는 힘차게 고개를 끄덕였다.

　"음! 잉빌드 님과 이야기해 봤는데, 나쁜 사람이 아니었느니라! 꼭 구해 줬으면 좋겠구나!"

"나만 믿어!"

내가 쿠노의 말에 그렇게 대답한 후, 오피스가 내게 말했다.

"잇세, 그 갑옷의 힘을 믿으면 돼."

──윽.

……용신화의 갑옷은 오피스의 힘을 빌려서 현현된다. 그런 오피스가 저렇게 말하니, 마음이 든든했다.

나는 오피스한테도 '알았어!' 하고 힘차게 대답했다.

나는 세 사람에게 배웅을 받으며, 전이의 방에 들어갔다.

전이 마방진이 있는 방에 모인 이는 신구 오컬트 연구부 멤버 (나, 리아스, 아시아, 아케노 씨, 코네코, 키바, 개스퍼, 제노비아, 이리나, 로스바이세 씨, 레이벨), 보버, 에르멘힐데, 린트 양이었다.

우리가 없는 사이, 쿠오우쵸나 효도 가가 습격당할 가능성도 있기에, 내 남자 후배인 나키리 코친 오류와 요즘 들어 신세를 지고 있는 레이팅 게임 전직 프로 플레이어 로이건 벨페고르 씨는 남기로 했다.

나키리는 일본을 이면에서 수호해 온 이능력자 집단 중에서도 우두머리인 명가 '나키리'의 차기 당주다.

웨이브진 핑크색 머리의 글래머 미녀 악마 로이건 벨페고르 씨는 머리에 달린 두 개의 뿔이 인상적인 사람이며, 매우 요염한 누님이다!

이들은 레이팅 게임 국제대회에서 내 팀메이트이기도 했다.

그 외에도 비나 레스잔이라는 팀 멤버가 있지만…… 그 사람은 사정이 있어서 함부로 모습을 드러내지 못한다. 아마 자기 위치에서 우리를 위해 힘써 주고 있을 것이다.

로이건 씨가 나에게 말했다.

"여기는 나한테 맡겨. 뭐, 내가 없어도 괜찮을 것 같지만."

로이건 씨는 그렇게 말하면서 오피스와 릴리스를 보았다.

뭐, 용신 자매가 나선다면 신이 쳐들어오더라도 이 집은 안전하겠지…….

나키리가 나에게 말했다.

"시트리 권속이 쿠오우쵸의 수비에 협력해 주기로 했으니, 걱정하지 마세요. ——무운을 빌어요. 그 여신이라는 작자를 날려버리세요."

"응. 나한테 맡겨줘. 그럼 뒷일을 부탁해."

나키리가 말한 것처럼, 시트리 측에도 협력을 요청했다. 소나 선배와 사지가 마을을 지켜줄 것이니, 안심해도 되리라.

나는 리아스에게 물었다.

"다른 이들은?"

나는 이번 일에 참가하는 멤버가 더 있는지 물어보았다.

리아스가 답했다.

"다른 『D×D』의 멤버들은 기본적으로 자신들이 속한 지역을 지키고 있어. 그리고 발리와는 연락이 안 돼. 크로우 크루아흐에게도 말은 해 뒀지만, 올지는 알 수 없어. 스트라다 예하도 연락이 되지 않아."

그렇구나. 그럼 닉스의 은신처에 쳐들어갈 멤버는 이 자리에 있는 멤버가 전부인 거네.

우리를 지원해 줄 예정인 이쿠세 씨와 조조는 이미 현지로 향했다.

그럼 우리끼리 전이를 하도록 할까.

――바로 그때, 레이벨이 잉빌드를 데려왔다.

레이벨이 말했다.

"잉빌드 님은 엄중하게 결계를 친 방에서 대기하기로 했어요."

그렇다. 잉빌드는 남기로 했다. 우리가 데리고 갔다가 닉스에게 조종당할 가능성이 있기 때문이다.

우리의 작전이 실패로 돌아간다면, 그녀는 봉인을 당하게 될 것이다. 봉인하는 바람에 병이 재발한다면…… 그녀는 두 번 다시 눈을 뜨지――.

나는 그런 생각을 떨쳐내려는 것처럼 고개를 저었다.

그리고 잉빌드를 향해 미소를 지으며 말했다.

"반드시 이길 테니까, 기다리고 있어!"

그녀도 미소를 지으며 고개를 끄덕였다.

남기로 한 동료들과 잉빌드에게 배웅을 받는 가운데, 닉스 대처팀인 우리는 전이의 빛에 휘감기면서, 바닥에 그려진 마방진의 힘으로 전이되었다――.

─○ ● ○─

우리가 전이된 곳은──그리스다.

지중해──에게 해(海)에 있는 섬 중 하나다. 오랫동안 사람의 손길이 닿지 않은 듯한 이곳은 현재 무인도다.

……그런 이곳의 하늘은 암흑에 뒤덮여 있었다. 밤……이라기보다, 이 일대가 닉스의 영역인 것 같았다. 상대방도 우리가 이곳에 왔다는 것을 파악했으리라.

닉스는 우리가 전이한 무인도에 있지 않다.

우리는 이 무인도의 절벽 위에 서서, 바다 너머에 있는 섬을 쳐다보았다.

……강렬한 아우라가 그 섬을 뒤덮고 있었다. 저 섬이 바로 닉스의 은신처다.

저 섬에는 결계가 있기 때문에 전이 마방진으로 바로 들어갈 수 없다. 그래서 근처에 있는 이 무인도로 전이한 것이다.

리아스가 우리를 둘러보며 말했다.

"효도 가에서도 이야기했다시피, 잠시 후에 이쿠세 씨가 저 결계를 밸런스 브레이커의 힘으로 찢을 거야. 그 직후에 저 섬에 난입하자. 알았지?"

"""라져!"""

여기까지 온 이상, 이제 쳐들어가기만 하면 돼!

리아스는 오른손에 진홍색의 아우라를 발생시키더니, 그 손을 들어올렸다. 이 근처에 숨어있을 『슬래시 독』 팀에 신호를 보낸 것이다.

이쿠세 토비오 씨가 지닌 세이크리드 기어는 롱기누스 『케이니스 류카온』이다. 그 검은 칼날은 온갖 사물뿐만 아니라 술식마저도 단칼에 두 동강을 낸다.

신마저도 벨 수 있다고 일컬어지는 세이크리드 기어다.

그러니 신이 펼친 결계일지라도——.

전방의 풍경에 일직선으로 된 틈이 생겼다. 그 순간, 밤의 여신의 은신처로 추정되는 섬의 결계가 완전히 갈라지며 산산조각이 났다.

이쿠세 씨가 여신의 결계를 벴다!

그와 동시에 전방의 섬에서 신의 파동이 해방되더니, 피부를 찌르는 듯한 위압감이 되어 우리에게 전해졌다.

……마치 언제든지 덤벼 보라고 말하는 듯한 아우라잖아!

내가 마지막 확인 삼아 동료들을 둘러보자, 다들 힘찬 표정을 짓고 있었다!

바로 그때, 리아스가 지시를 내렸다!

"가자!"

"""오오!"""

날개를 펼친 우리는 눈앞의 섬을 향해 하늘을 가르며 날아갔다!

암흑에 뒤덮인 하늘을 가르며, 닉스의 본거지를 향해 날아가고 있을 때였다.

드래이크가 불쑥 나에게 말을 걸었다.

『파트너, 이제 와서 하는 말이지만 말이다. 새로운 롱기누스를 지닌 그 여자애의 노래는 정말 무시무시했다. 드래곤이라는 존재를 근본적으로 억압하는 힘을 지닌 것처럼 느껴지더구나. 용신화를 하더라도 그 노래에 영향을 받을 가능성이 클 정도지. 두고 온 건, 올바른 판단이었을 거다.』

드래이그가 이런 말을 하는 것을 보면, 정말 무시무시한 능력 같았다.

"……뭐, 신규라고는 해도 롱기누스잖아. 엄청난 성능일 거야."

하지만 드래이그는 덧붙여서 이렇게 말했다.

『하지만 다르게 생각해본다면, 드래곤을 지배할 수 있다는 점이 우리에게 득이 될 수 있을지도 모르지.』

우리에게 득이 되는 건가.

먼 옛날부터 노랫소리가 드래곤을 진정시켜 왔다는 말을 예전에 누군가에게서 들은 적이 있다. 그렇다면 반대로—— 드래곤을 고무시키는 게 가능할지도 모르는 건가.

확실히 나는 잉빌드의 노래를 더 듣고 싶다고 생각했다. 정말 멋진 노래였거든. 그녀가 나…… 아니, 우리를 위해 노래해 준다면——.

그런 생각을 하고 있을 때였다.

제노비아가 고함을 질렀다.

"나타났어!"

전방을 쳐다보니—— 닉스가 있는 섬에서 수많은 이들이 날개를 펼치며 날아오르고 있었다!

열…… 백…… 오백…… 처, 천 명이 넘겠어!

그들은 차례차례 섬에서 날아올랐다! 그들 중에는 괴물 같은 모습을 한 자도 있었다. 그리고 하나같이 악마의 아우라를 뿜고 있었다! 게다가 아우라를 감지해 보니, 대부분이 상급 악마 수준이었다!

이렇게 많은 상급 악마 수준의 악마들이 탄생한 건가! 게다가 닉스가 이 많은 숫자를 조종하고 있는 거야……?

어찌 됐든, 우리를 향해 날아오고 있는 녀석들은 적의와 살의를 한껏 품고 있었다!

눈앞에 펼쳐진 섬의 상공이 정체불명의 악마—— 악마의 어머니 릴리스가 낳은 것으로 추정되는 새로운 악마들로 뒤덮여 있었다. 그 녀석들이 우리를 향해 날아왔다!

나는 재빨리 진홍의 갑옷을 걸치며 전투태세를 취했다!

헤헷, 정체불명의 악마들이 우리를 맞이할 거라는 건 일찌감치 예상했다고! 놀랄 일도 아니지!

동료들도 무기를 거머쥐며 전투태세를 취했다.

——바로 그때, 제노비아가 막대한 양의 성스러운 아우라를 두른 성검 뒤랑달로 공격을 펼치려 했다!

그레모리 측의 명물, 제노비아가 전투의 개막을 기념해 혼신의 힘을 다해 날리는 축포다! 뒤랑달 포!

뒤랑달의 성스러운 아우라가 하늘을 찌를 듯이 뻗어나갔다!

그리고 제노비아는 전방을 향해 뒤랑달을 휘둘렀다!

"받아라아아아아아아아아아아아아아아아아아아아아아앗!"

뒤랑달의 성스러운 아우라가 접근하던 대량의 악마들을 휘감았다!

우리도 질 수야 없지!

내가 전방을 향해 드래곤샷을 난사했고, 리아스가 특대급 멸망의 마력을 날렸다!

"가자!"

"가자고!"

리아스와 내 호령에 맞춰, 신규 오컬트 연구부의 멤버들이 적들을 해치우며 섬으로 향했다——.

우리는 릴리스가 새롭게 낳은 악마들을 해치우며 섬에 상륙했다.

일단 아시아를 비롯한 서포트 멤버를 지상으로 보냈다. 아시아는 사역하고 있는 사룡 중 한 마리의 등을 타고 이곳까지 날아왔다.

섬을 향해 날아오던 도중에 발견한 폐허 인근에 나, 아시아, 코네코, 레이벨, 에르멘힐데가 착륙했다.

다른 멤버는 공중과 지상에서 한창 전투 중이다. 아직 닉스가 나타나지 않아서 그런지, 우리가 압도적으로 우세했다.

다양한 색깔을 띤 아우라가 암흑으로 뒤덮인 하늘을 가르고 있었다. 화려한 폭발음도 곳곳에서 들려왔다.

내가 아시아 일행을 데리고 향한 폐허는── 원래 교회였던 건물이었다.

그리스도교의 교회로 보이는 그 건물의 벽은 무너졌으며, 천장에도 구멍이 몇 개나 존재했다. 벤치형 의자 또한 대부분 부서진 상태였다.

흡혈귀인 에르멘힐데가 말했다.

"성스러운 힘이 눈곱만큼도 느껴지지 않아요. 그래서 흡혈귀인 제가 들어와도 괜찮은 거겠죠."

악마와 마찬가지로, 흡혈귀도 이런 건물에 들어서면 대미지를 받는다.

레이벨이 교회 안을 둘러보면서 말했다.

"이런 섬에도 그리스도교의 교회가 있었군요."

이곳은 올림포스 신들의 영역인데도 말이야. 그리스도교도 옛날에는 포교를 위해 꽤 무모한 짓을 벌였다던데……. 다른 신화체계에도 서슴없이 쳐들어갔다니, 어쩌면 이건 그 잔재일지도 모른다.

──나는 무너진 교회를 보면서 약간 감상에 젖었다.

……내가 사는 곳에도 이런 낡은 교회가 있어. 지금은 천계의 관계자가 수리해서 재활용하고 있지만 말이야.

"…………."

내가 그런 생각을 하고 있을 때, 아시아가 나에게 말을 걸었다.

"잇세 씨, 왜 그러세요?"

"아, 이런 무너진 교회를 보니 아시아와 처음 만났을 때가 생각나서 말이야."

나는 말을 이었다.

"그때 나는 아시아를 데려가지 말아달라고 빌었어. 하지만 성서의 신은 존재하지 않았던 거잖아……."

──어이, 신! 보고 있지?! 악마와 천사도 존재하니까, 신도 있을 거 아냐! 이 광경을 보고 있잖아?!

세이크리드 기어가 몸에서 뽑혀나간 탓에 죽고 만 아시아를 안고서 채, 나는 하늘을 올려다보며 호소했지.

나는 그때 했던 말을 중얼거렸다.

"이 아이를 데려가지 마. 부탁이야. 부탁합니다, 하고 존재하지도 않는 신에게 빌었어."

당시의 나는── 약했다. 약해빠진 존재였다.

하지만, 지금은 다르다. 이제는, 신에게 빌지 않아도 된다.

나는 아시아에게 말했다.

"나는 이제 신에게 빌지 않아. 우리 힘으로 잉빌드를 구하자."

"예!"

아시아도 내 말에 동의해 줬다.

바로 그때였다. 코네코의 고양이귀가 쫑긋 섰다. 그리고 나도 눈치챘다.

──적의 기운이 느껴진 것이다.

교회 주위에 적들이 모여들고 있다. 나, 코네코, 레이벨, 에르멘힐데가 아시아를 지키려는 듯이 요격 태세를 취했다.

교회의 무너진 벽, 구멍 난 천장, 입구를 통해 악마들이 차례차례 몰려들었다!

나는 우리를 습격한 악마들을 두들겨 팼다. 코네코도 정화의 힘―― 불수레를 던져서 악마들에게 치명상을 입혔다.

레이벨도 피닉스―― 불사조 특유의 업화로 적들을 쓸어버렸고, 에르멘힐데도 대량의 박쥐를 출현시켜서 상대를 교란했다.

맞서 싸우고 있기는 하지만, 숫자가 많은걸……. 게다가 이 교회 안에서는 대규모 공격을 할 수 없잖아. 빨리 밖으로 나가서 광범위 공격을 펼치는 편이 좋겠지.

내가 그런 생각을 하고 있을 때, 나에게 덤벼들던 악마들이 어디선가 날아온 성스러운 아우라를 맞고 재가 되었다.

고개를 돌려보니, 제노비아, 이리나, 키바, 린트 양이 이곳으로 와줬다!

공중에서 싸우던 검사 멤버들이 우리에게 가세하러 와준 것 같았다.

키바가 말했다.

"여기는 우리에게 맡기고, 잇세 군은 먼저 가!"

제노비아와 이리나가 성검으로 악마들을 베면서 말했다.

"그래! 이 섬의 안쪽에 있는 닉스한테 가봐!"

"무너진 교회에서 나쁜 악마들과 싸우니, 정말 흥분되네!"

린트 양도 보라색 불꽃으로 악마들을 단숨에 재로 만들었다.

린트 양은 사실 롱기누스 소유자다. 『인시너레이트 앤섬』이라는 성스러운 십자가―― 성유물 롱기누스를 지녔으며, 저 보라색 불꽃은 악마 상대로 거의 필살의 위력을 발휘했다.

린트 양도 불꽃을 조종하며 나에게 말했다.

"리아스 리더들도 밤의 여신님이 있는 곳으로 향한 것 같으니, 잇세 오빠도 그쪽으로 가보는 게 좋을 것 같네요. 뭐, 악마 퇴치 같은 일은 맡겨만 달라고요."

그녀는 아크로바틱한 느낌으로 공중에서 몸을 회전시키며, 교회 특제 총으로 빛의 광탄을 쐈다.

코네코와 레이벨이 악마를 공격하면서 말했다.

"……선배, 가죠. 늦었다간 리아스 언니가 화낼 거예요."

"잇세 님! 이동하도록 해요!"

나는 제노비아 일행의 호의에 따라, 이곳을 벗어나기로 했다!

내가 상당한 위력을 담아 전방에 날린 날카로운 드래곤샷을 악마들이 피한 틈을 이용해, 아시아, 코네코, 레이벨, 에르멘힐데와 함께 이 자리를 벗어났다!

교회를 빠져나가기 직전, 나는 제노비아 일행에게 말했다.

"뒤를 부탁해!"

검사 팀은 믿음직한 표정을 지으며 고개를 끄덕였다.

무너진 교회를 벗어난 나는 이 섬의 안쪽으로 향했다──.

Christianity's Warrior.

잇세 일행을 먼저 보낸 나—— 키바 유우토와, 제노비아, 이리나 양, 린트 양은 폐허로 변한 교회에서 악마의 어머니 릴리스가 새롭게 탄생시켰다는 악마들과 싸우고 있었다.

나는 성마검을 고속으로 휘둘러 여러 악마를 한꺼번에 베어 쓰러뜨렸고, 뒤랑달과 엑스칼리버를 양손에 쥔 제노비아는 성스러운 파동으로 호쾌하게 날려서 적들을 재로 만들었다.

제노비아는 뒤랑달의 현 소유자이자, 동시에 엑스칼리버의 소유자이기도 했다. 원래 이도류가 특기인지, 전설의 검 두 자루를 동시에 사용하고 있었다.

이리나 양은 천사의 힘—— 광력으로 만들어낸 빛의 고리를 악마들에게 날렸고, 손에 쥔 성검 오트클레르로 성스러운 아우라를 퍼부었다.

적이 제노비아의 등을 노리면 이리나 양이 엄호했고, 또 다른 적이 이리나 양의 측면에서 달려들 때는 제노비아가 성스러운 파동으로 그 적을 날려버렸다.

이 여검사 콤비는 호흡이 척척 맞았으며, 서로가 서로의 빈틈을 메워주며 공격을 할 기회를 찾아냈다.

또 한 명의 교회 전사—— 린트 양은 여전히 전장에서 리듬 체조 선수처럼 화려하면서도 유연한 도약과 회전을 선보이며, 보라색 불꽃으로 만들어낸 검과 광탄을 쏘는 총으로 적을 해치웠다.

나를 비롯해 전원이 그리스도 교회에서 수련을 한 자들이다. 우리는 악마, 타천사, 흡혈귀, 마물과 싸우기 위해 지식과 기술을 익혔다.

각자의 사정 때문에 악마 혹은 천사가 되었지만, 그래도 다들 악마와의 전투에 익숙했다.

지금까지 다양한 강적들과 싸워왔고, 또한 수련을 계속해왔다. 이 정도 상대는 아무리 숫자가 많아도 위협이 되지 않았다.

게다가 적들은 하나같이 상급 악마급의 마력을 지녔지만……실력은 그 수준에 미치지 못하는 것처럼 느껴졌다.

마력의 질과 양만으로 싸우고 있기 때문이다. 즉, 악마의 힘을 대부분 공격에 쏟아붓고 있었다.

마치 전투 경험과 지식이 없는 어린애와 싸우는 것 같았다.

일반적인 악마—— 특히 상급 악마인 귀족은 우리처럼 스스로를 단련하지 않는다. 자신의 재능과 지식, 경험만으로 싸우려 한다. 그리고 그 와중에 기술도 깨우친다.

이 악마들은 재능이 있지만, 그것을 활용할 지혜와 경험이 절대적으로 부족했다. 그저 본래 지니고 있는 마력으로 폭력을 휘두르려 할 뿐이다. 방어에 마력을 할애하는 자가 거의 보이지 않을 정도다.

이래선…… 중급 악마보다 손쉬운 상대다. 1대1로 싸운다면, 경험이 많은 중급 악마, 중급 천사도 충분히 싸워볼 만할 것이다.

위력적이기만 한 마력 공격은 그저 피해버리면 그만이다. 방어 수단을 거의 지니지 못한 상대이니, 빈틈을 보이면 공세를 펼칠 수 있다.

──갓 태어난 악마, 인가.

나는 그렇게 판단했다. 나의 주인인 리아스 누나와 눈치가 빠른 동료들이라면 그들이 지닌 실력의 본질을 일찌감치 간파했을 것이다.

경험을 쌓기 전에 해치울 수 있어서 행운이라는 생각이 들었다. 그리고 우리와 싸우게 된 것이 그들의 불운이다.

지금까지의 경험으로 볼 때, 이런 상대는 인정사정 봐주지 않고 해치워버리는 것이 가장 좋다. 만약 놓친다면 나중에 우리의 걸림돌이 될 수도 있는 것이다. 그러니 해치운다.

우리의 실력을 이제야 이해한 건지, 교회에 침입한 악마들이 머뭇거리기 시작했다.

"젠장! 이 녀석들은 왜 이렇게 강한 거야?!"

"저 녀석들은 대체 뭐냐고!"

지옥의 맹주들이 우리에 관한 지식을 저 녀석들에게 심어 주지 않은 것이 그들의 불행이다.

그들은 왜 강자에 대한 지식을 저 악마들에게 주지 않은 걸까? 어떤 의도가 있는 것일까? 아니면 그저 장난삼아 그런 것일까?

우리가 전투를 치르면서 그런 생각을 하고 있을 때였다.

교회 입구 쪽에 있던 적들이 술렁거리기 시작했다.

"이런 다 무너져가는 교회에 이런 다 늙은 노인네 신부가 왜 온 거야?!"

"진짜로 신부 맞아? 저딴 몸집의 신부가 어디 있냐고!"

노인네? 신부?

내가 그쪽을 쳐다보니── 거구의 노인, 바스코 스트라다 예하가 입구를 통해 안으로 들어오고 있었다.

예하께서는 일반적인 신부복이 아니라 고위의 사제가 입는 예복을 입고 있었지만…… 지식이 없는 이 악마들은 그걸 구분하지 못하는 것 같았다.

스트라다 예하가 등장하자, 나를 비롯한 교회 출신의 전사 전원은 경악과 동시에 마음이 든든해졌다!

리아스 누나의 이야기에 따르면 예하와는 연락이 되지 않았다고 하지만, 아무래도 단독으로 이 섬에 찾아온 것 같았다.

스트라다 예하가 미소를 지으며 악마들에게 말했다.

"흠…… 참회를 하러 온 건가?"

적 중 하나가 예하에게 달려들었다!

"죽어라! 망할 영감!"

하지만 다음 순간, 그 악마는 예하가 내지른 주먹을 맞더니, 그대로 교회의 벽을 부수며 한참 떨어진 곳까지 날아갔다.

예하가 내지른 그 커다란 주먹에는── 성스러운 아우라가 용솟음치고 있었다.

——성권(聖拳).

예하의 공격 수단 중 하나다. 극한까지 단련한 주먹에 성스러운 아우라를 두르고, 그대로 두들겨 패는 것이다. 그뿐인데도, 악마를 비롯한 온갖 존재를 날려버리는 것이다.

벽을 부수며 날아간 악마는 이미 예하의 일격에 의해 재가 되어버렸을 것이다.

나는 예하에게 말씀드렸다.

"예하께서 손수 나서시지 않아도 됩니다."

이리나 양과 제노비아, 린트 양도 공격을 펼치며 입을 열었다.

"나쁜 악마들은 저희에게 맡겨 주세요."

"전부 베어버리겠어!"

"물론이죠!"

예하는 우리의 말을 듣고 미소 지었다.

"흠, 믿음직하구나. ——내가 검을 뽑을 필요도 없겠군."

옆에서 달려들던 악마를 주먹으로 날려버리신 스트라다 예하는 교회에서 자란 전사들이 싸우는 모습을 보며 만족스러워 하셨다——.

무너진 교회에 들어온 악마들을 전부 처리한 우리는 숨을 골랐다.

으음, 상당한 숫자를 벤 것 같네. 적의 병력을 꽤 줄였을 것 같은데…….

나는 폐허로 변한 교회를 둘러보며 생각에 잠겼다.

1년 반 전에도 이런 곳에서 싸웠지.

린트 양이 불쑥 나에게 질문을 던졌다.

"키바꾼 선배, 왜 그래요?"

"아, 폐허가 된 교회에서 네 오빠와 싸운 게 생각났거든."

프리드 세르젠——.

쿠오우쵸에서 몇 번이나 싸웠지. 특히 나와…… 가장 많이 싸웠다. 그의 숨통을 끊어 준 사람도 바로 나다.

린트 양은 그 점을 알면서도 나를 비난하지 않았다.

오히려 그녀는 나에게 사과했다.

"오호라~. 뭐, 그런 일이 있었다는 건 이미 알고 있어요. 아~ 우리 오빠가 폐를 끼쳤네요."

"아니, 괜찮아. 하지만 이런 곳에서와 너와 힘을 합쳐서 싸우고 있으니, 왠지 기묘한 인연 같은 게 느껴져서 말이야."

"맞아. 정말 말도 안 되는 일만 벌어지는 것 같아. 예하께서도 이렇게 오셨잖아."

이리나 양이 그렇게 말했다.

그녀들과도 처음 만났을 때는 적대 관계였다. 지금은 믿음직한 동료이자 동급생이지만 말이다.

스트라다 예하께서 웃음을 터뜨리셨다.

"하하하, 운명이란 우리가 헤아릴 수 있는 게 아니지. ——그런데 이자이야 키바 유우토여."

예하가 갑자기 나에게 말을 걸었다.

"예."

"후배에게 키바꾼 선배라고 불리는 것 같은데, 이유가 뭐지?"

"아니, 그게…… 저도 알고 싶어요……."

실은 나도 그것 때문에 난처하던 참이다.

1학년 후배들에 왠지 그렇게 부르는데…….

린트 양도 '키바꾼 선배'라고 부르고…….

'꾼'은 대체 뭘까……. 나는 이제 와서 그런 생각이 들었다.

바로 그때였다.

우리의 긴장이 풀린 이때를 기다린 듯이, 천장에서 누군가가 우리를 향해 낙하했다! 고개를 들어보니, 악마 하나가 아우라를 두른 채 우리를 향해 낙하하고 있었다!

기척을 느끼지 못했다! 그건 다른 이들도 마찬가지인 것 같았다! 그렇다면 기척을 감출 수 있는 악마도 있는 건가?!

악마가 린트 양을 덮쳤다!

"죽어라앗!"

린트 양이 보라색 불꽃으로 만든 검으로 그 악마를 상대하려한 바로 그때였다.

그 악마의 복부에 창이 꽂혔다! 그 순간, 창에서 뿜어져 나온 성스러운 아우라가 그 악마를 소멸시켰다.

창으로 악마를 찌른 자는—— 조조였다.

아무래도 이 섬에 상륙하고 우리에게 가세하러 온 것 같았다.

그는 자신의 롱기누스——『트루 롱기누스』를 한 바퀴 회전시키더니, 창대 부분으로 어깨를 두드렸다. 그의 버릇이다.

성창은 톱클래스의 성유물이다. 상급 악마든, 최상급 악마든, 정통으로 맞는다면 그대로 치명상을 입고 만다. 그 정도로 무시무시한 무기인 것이다. 마왕일지라도 저 성창을 경계할 것이다.

"아직 빈틈이 있는 것 같네, 린트 세르젠."

조조가 린트 양을 향해 그렇게 말했다.

린트 양은—— 조조와 제대로 이야기해 본 적이 없을 것이다.

그래도 두 사람 사이에 인연은 있다. 그녀와 같은 기관에 속해 있던 자가 조조의 옛 동료였던 것이다.

"당신이, 지크 선생님의 친구……."

조조는 린트 양의 그 말을 듣고 미소를 지었다.

"그래. 나는 지크프리트의 친구지."

"……그럼 조조 선생님이라고 불러도 될까요?"

조조는 린트 양의 머리를 쓰다듬어주면서 말했다.

"뭐, 좋을 대로 불러."

린트 양은 비록 얼굴에 드러내지는 않았지만, 왠지 기뻐하는 것 같았다.

그 와중에도, 이 교회에 있는 자들 전원은 악의에 찬 아우라를 지닌 자들이 이곳으로 접근하는 기척을 느꼈다.

조조가 말했다.

"밖에 나가는 편이 좋겠지. 그러면 광범위 공격으로 일망타진할 수 있을 거야."

다들 그의 의견에 동의하면서 교회 밖으로 뛰쳐나갔다.

잇세 군, 이쪽은 우리에게 맡겨.
너는 리아스 누나와 함께, 닉스를 쓰러뜨리는 거야!

Life.5 신이라도, 날려버리겠습니다.

나―― 효도 잇세이와 아시아, 코네코, 레이벨, 에르멘힐데는 리아스 일행(아케노 씨, 개스퍼, 로스바이세 씨, 보버)과 합류한 후, 이 섬의 안쪽으로 향했다.

섬 안쪽에는 울퉁불퉁한 구릉지가 존재했다.

그 중심부에 바위로 만든 신전이 존재했다. 그리스의 파르테논 신전을 연상케 하는 돌기둥이 눈길을 끄는 신전이었다.

하지만 곳곳에 무너져 있었으며, 그런 면에서 역사와 세월이 느껴졌다.

우리가 신전에 다가갔을 때였다. 돌기둥의 뒤편에서 누군가가 모습을 드러냈다. 하늘하늘한 느낌의 귀여운 옷을 입은 여성―― 닉스였다.

신전 앞에 도착한 우리는 닉스와 대치했다.

밤의 여신은 환하게 웃으며 섬을 습격한 우리를 맞이했다.

『동료 중에 우수한 첩보원이 있나 보네. 「D×D」가 얼마나 무시무시한 존재인지 다시 실감했어.』

나는 닉스에게 말했다.

"너를 해치워서, 잉빌드를 해방하겠어! ……목적은 그거지만, 너한테 물어볼 것도 있어. 왜 이런 짓을 벌인 거야? 너는 하데스와 손을 잡았지?"

나는 신경 쓰이는 점에 대해 닉스에게 물었다.

잉빌드 건도 그렇지만, 이 일을 벌인 원인, 그리고 하데스와 손을 잡은 이유가 무엇인지 알고 싶었다.

닉스는 웃으며 말했다.

『아자젤 같은 말투네. 그래. 나는 하데스와 손을 잡았어. 그는 단순히 너희를 싫어해. 자신들이 인간계와 자신의 영역을 지키면 된다고 생각하지.』

"인간계를 지키고 싶다면, 우리와 협력하면 되잖아. 왜 저런 악마들을 이용하면서까지…… 우리를 부정하는 거야?"

『그야 단순히 너희를 싫어하기 때문이야. 그의 생각에 찬동하고 있는 각 세력의 주신들도 마찬가지지. 또한, 너희를 위험시하고 있어.』

"위험시?"

『이 짧은 기간에 너무 강해진 너희를…… 롱기누스 소유자와 너희 주위에 있는 자들을 위험분자로 여기는 거야. 너희와 롱기누스가 너무 강해서, 초월적인 존재와 이형의 세계가 잘못된 방향으로 나아가고 있는 거라고 그는 생각해. 그 점에 대해서는 나도 동감하는 바야. 네 성장은 물론이고, 잉빌드의 능력도 상식을 벗어나잖아? 신과 싸울 수 있을 만큼 강해진 너를, 노래만으로 쓰러뜨릴 수 있거든? 롱기누스는 그야말로 비정상적이야. 게다가 계속 늘어나고 있지. 두려워하는 것도 당연해.』

…………그저 하데스가 우리를 싫어할 뿐이라면 그나마 낫지만……. 그래. 롱기누스의 능력을 위험시하는 건가. 그 점에 대해선…… 나도 나름 생각하는 바가 있지만…….

　……마수 소동은 『어나이얼레이션 메이커』가 폭주해 일어난 사건이다. 사룡전역은 리제빔이 롱기누스 중 하나인 성배──『세피로트 그랄』을 손에 넣으면서 계획이 비약적으로 진행됐다.

　……내가 이 자리에 있는 것도 롱기누스를 지녔기 때문이다. 『D×D』가 결성되고, 거기에 소속된 멤버 중에는 롱기누스 소유자가 많으며, 각 세력의 불온분자들에게 억지력이 되기를 기대받고 있다.

　──롱기누스의 위험성, 이라.

　닉스는 어깨를 으쓱했다.

　『내 오빠인 에레보스는 무슨 생각인지 모르겠지만, 적어도 내가 하데스와 손을 잡은 이유는 말이지? 롱기누스에 흥미가 생겼고, 너희에게 심술을 부리고 싶었기 때문이야.』

　"심술?! 그딴 이유로 이런 일을 벌인 거냐?!"

　내가 어이없어 하자, 닉스는 순진무구한 미소를 지었다.

　"요즘 같은 시대에 심술 좀 부렸다고, 신에게 도전하는 건 너희뿐이거든. 게다가 너희는 신을 쓰러뜨릴 수 있을 정도의 실력을 지녔잖아? 찌찌드래곤 대책인 이 옷을 만드는 것도 꽤 재미있었어."

　그, 그딴…… 그딴 이유로 잉빌드를……!

내 마음속에서 분노가 샘솟더니, 금방이라도 폭발할 것만 같았다.

내 옆에 있는 리아스도 언짢은 표정을 지었다.

"……정말 민폐만 끼치는 신이잖아."

닉스는 그 말을 듣고 웃음을 흘렸다.

『표정 참 무시무시하네. 하지만 그리스 신화의 신들은 대부분 이래. 다들 질투와 다툼을 달고 살거든. 제우스의 바람기도 꽤 유명하지만 말이야.』

닉스가 손을 들어올렸다. 그러자 이 구릉지 전체에 전이형 마방진이 생겨나더니, 거기서 셀 수도 없을 만큼 많은 악마들이 모습을 드러냈다!

천…… 이천은 넘을 것 같았다! 이렇게 많은 악마가 남아 있었던 거냐!? 대체 악마의 어머니 릴리스에게 얼마나 남은 악마를 낳게 한 거냐고!

우리는 완전히 포위당했다.

전방에 있는 닉스는 암흑의 아우라를 온몸에 두르면서 공중으로 떠올랐다.

밤의 여신은 절대적인 위압감을 뿜으며 자신만만한 미소를 지었다.

『사룡 아포피스와 북유럽의 새로운 주신 비다르를 실력으로 쓰러뜨린 네가 상대라면, 나도 전력을 다해야 하지 않겠어?』

즐거워 죽겠다는 듯한 목소리인걸.

나도 전투광과의 싸움에는 익숙했다. 하지만 이딴 녀석의 쾌락을 위해 누군가가 상처 입는 건 결코 참을 수 없다.

닉스를 해치워서, 잉빌드를 구한다! 내가 싸울 이유는 그걸로 충분해!

나는 아시아와 레이벨에게 말했다.

"좀 제대로 날뛰어야 할 것 같으니까, 레이벨이 아시아를 맡아줘."

두 사람이 고개를 끄덕였다.

그리고 나는 리아스에게 말했다.

"리아스, 시작할까?"

"응. 좋아."

리아스가 동의해 주자, 나는 그녀와 함께 전투태세를 취했다.

나는 각오를 다지며, 진홍의 갑옷보다 한 단계 위의 형태――용신화의 주문을 읊조렸다.

"――나에게 깃든 홍련의 적룡이여. 패(覇)에서 깨어나라."

오른손에 찬 갑옷 토시에 박힌 보옥에서 진홍색 빛이 생겨났다.

『――나에게 깃든 홍련의 천룡이여. 왕이 되어 울부짖어라.』

용신 오피스의 목소리가 보옥에서 흘러나오더니, 왼손 토시의 보옥에서 칠흑빛 아우라가 뿜어져 나왔다.

"――칠흑빛 무한의 신이여."

진홍빛을 띤 엄청난 아우라가 내 온몸을 감쌌다.

『――혁혁(赫赫)한 몽환의 신이여.』

무한을 나타내는 검은 아우라가 나를 더욱 감쌌다.

"『――제애(際涯)를 초월하는 우리의 거짓된 금(禁)을 지켜

보거라.』」

　진홍의 갑옷은 칠흑색을 띠더니, 용신의 힘을 구현하기 시작했다.

　그리고 나와 오피스는 마지막 구절을 함께 읊조렸다──.

　"『──그대, 찬란히 빛나는 불꽃이 되어 어지러이 춤춰라.』"

　"『《D∞D!! D∞DD∞D!! D∞DD∞DD∞D!!!! D∞DD∞DD∞DD∞DD∞DD∞D!!!!!! D∞DD∞DD∞DD∞DD∞DD∞DD∞DD∞DD∞DD∞DD∞D!!!!!!!!》』"

　모든 보옥에서 『D∞D!!』라는 음성이 터져 나왔다. 그리고 보옥에는 상징적인 ∞의 기호가 떠올랐다!

　"『《Dragon∞Drive!!!!!!》』"

　나는 용신의 힘을 현현한, 진홍색과 칠흑색을 띤 갑옷을 걸쳤다.

　──용신화.

　나의 최강 형태다. ……하지만 무한의 파워가 과도할 정도로 방대하기 때문에, 주문에 제한을 걸어서 유사 용신화 상태로 변했다.

　이 형태가 되자, 왼손 갑옷 토시의 보옥에 '88'이라는 숫자가 떠오르면서 카운트가 시작됐다.

　이것은 이 형태를 최대 '88분' 동안 쓸 수 있다는 의미다. 용신화를 한 시간 이상 유지할 수 있는 것이다.

그리고, 또 하나의 카운트도 시작된다. 오른손 갑옷 토시의 보옥에는 '8' 이라는 숫자가 떠올라 있었으며, 카운트가 되고 있다. 이쪽은 8분을 의미했다.

——그 숫자는 8분 후에 어떤 기적이 일어난다는 것을 의미했다.

용신화의 아우라를 두른 내가 닉스를 올려다보며 말했다.

"원초의 신, 밤의 여신, 닉스. ——붙어보자고."

『엄청난 아우라네!! 제대로 붙었다간 나도 무사하지 못하겠어!』

내 갑옷의 보옥에서 음성이 터져 나왔다.

"『≪D∞D!! D∞DD∞D!! D∞DD∞DD∞D!!!! D∞DD∞DD∞DD∞DD∞DD∞D!!!!!! D∞DD∞DD∞DD∞DD∞DD∞DD∞DD∞DD∞DD∞D!!!!!!!!≫』"

나는 극도로 끌어올린 마력이 담긴 일격—— 드래곤샷을 닉스에게 날렸다!

닉스는 피하지도 않고 그 일격을 받아냈다. 예의 『동정을 죽이는 옷』의 효과가—— 발휘되니, 내 특대 드래곤샷은 그대로 산산이 흩어졌다!

용신화의 드래곤샷도 통하지 않는 건가?!

나는 깜짝 놀랐다. 하지만 닉스는 드래곤샷 자체는 없앨 수 있지만 위력의 여파는 지울 수가 없었는지——.

『——윽!?』

그대로 뒤편으로 튕겨 날아갔다!

나는 하늘을 고속으로 가르며 닉스를 추격했다.

내 드래곤샷이 전투의 시작을 알리는 봉화 역할을 한 것인지, 내 동료들과 악마 무리의 싸움이 시작됐다.

대량의 악마들이 닉스를 쫓는 나를 덮쳤지만, 나는 용신화 상태의 드래곤샷으로 백여 명의 악마들을 날려버렸다.

""'——윽!'""

내가 일격에 수많은 악마들을 쓸어버리자, 실력 차를 실감한 적들이 나와 거리를 두려 했다.

"괴, 괴물이야……!"

"저, 저 괴물 같은 위력의 마력은 대체 뭐냐고……!"

그렇게 경악할 시간 있으면, 마력을 방어에 돌리라고. 뭐, 그래봤자 방금 내가 날린 일격은 막아내지 못하겠지만 말이야.

내가 닉스에게 다시 접근하자, 그 여신은 몸을 정지시키며 균형을 잡았다.

닉스는 더러워진 얼굴을 닦으면서 환희에 찬 미소를 지었다.

『아우라의 여파만으로도 이 정도 충격일 줄은 몰랐어! 정통으로 맞았다간 어마어마한 대미지를 입었을 거야!』

닉스는 암흑의 아우라를 두르더니, 손으로 거무튀튀한 파동을 쐈다.

나는 드래곤샷으로 그것을 상쇄시키거나 피했지만…….

저 옷을 입은 상대와 타격전을 벌이는 건 무리겠지! 드래곤샷으로도 충격은 가할 수 있겠지만 결정적인 대미지를 입히지 못해!

닉스는 나를 부추기듯 이렇게 말했다.

『지금 상태라면 여성의 옷을 갈가리 찢거나 속내를 읽는 능력이 나한테 통할지도 모르겠네!』

젠장! 입에서 나오는 대로 지껄이는 거냐!

"드래이그, 가능할 것 같아?!"

나는 파트너에게 물었다.

『모르겠다! ──하지만, 해 보는 거다!』

그럼 해 볼 수밖에 없겠네! 전에는 시험해 보지 않았지만, 이번에는 드래이그의 능력 중 하나──『투과』를 부여해 보자고!

드래이그는 세이크리드 기어에 봉인되기 전만 해도 다수의 강력한 능력을 지녔다.

『배가』── 힘이 점점 증폭되는 능력이다. 진홍의 갑옷과 용신화의 갑옷 상태에서는 단숨에 여러 번의 배가를 펼쳐서 상대를 공격한다. 기본 상태의 『부스티드 기어』가 지닌 특성이다.

『양도』── 끌어올린 힘을 동료나 사물에 양도해서, 파워를 증대시키는 능력이다. 이것도 기본 상태의 『부스티드 기어』가 지닌 특성이다.

그리고, 『투과』── 상대가 술법으로 자기 자신을 지키더라도, 특수한 방어법을 사용하더라도, 전부 투과하면서 내 힘을 다이렉트로 명중시키는 능력이다. 내가 드래이그의 힘을 차츰 해방시키는 과정에 되찾게 된 힘이다.

그 『투과』를 더해, 내가 자랑하는 찌찌 기술을 펼치는 거다!

『Penetrate!!』

『투과』의 음성이 보옥에서 흘러나오자, 나는 특성을 발동시켰다!

그와 동시에 예의 독자적인 핑크빛 공간을 만들어내서, 단숨에 해방시켰다!

"좋아! 버스트링퀄!!!"

나를 중심으로 펼쳐진 핑크빛 공간이 이 구릉지를 뒤덮었다! 용신화의 힘 덕분에, 그 규모는 이 섬 전체를 뒤덮을 정도였다!

"헤이! 여신의 찌찌 님! 이번에야말로, 네 목소리를 들려달라고!"

나는 닉스의 찌찌에 말을 걸었다! 『투과』도 부여하고, 용신화도 했다! 이번에는 어때?!

⋯⋯⋯⋯⋯⋯⋯⋯⋯⋯.

⋯⋯하지만, 찌찌의 목소리가 전혀 들리지 않았다! 젠장! 용신화와 『투과』로도, 저 『동정을 죽이는 옷』의 효과를 뚫지 못하는 거야?!

이 결과를 확인한 나는 어금니를 악물었다! 어, 어떻게 이런 일이⋯⋯!

내 찌찌 기술이 이렇게 통하지 않은 건 처음이다! 원초의 신은 정말 무시무시하네!

"⋯⋯젠장! 용신화를 했는데도 찌찌의 목소리가 들리지 않아! 역시 원초의 신이 만든 『동정을 죽이는 옷』은 엄청나!"

내가 분통을 터뜨리자, 드래이그가 이렇게 말했다.

『⋯⋯으, 음. 파트너가 동정이라는 점이, 용신의 힘과 '투과'

의 특성을 방해한 걸지도 모르겠군.』

뭐?! 첫 경험을 마치지 않은 게 그렇게 큰 잘못인 겁니까?!

하지만, 드래이그는 이렇게도 말했다.

『그게 말이다. 동정이라도 강한 녀석은 강하다. 약한 녀석은 약하지. 내 생각에는 파트너의 찌찌 기술의 출력이 부족할 뿐일지도 모른다는 생각이 든다.』

어? 그, 그런 간단한 이유로……?

『증거는 아니다만, 아까 파트너가 날린 마력 공격은 완전히 막히지는 않았다. 닉스에게 충격을 가했지. 진홍의 갑옷을 걸쳤을 때는 그러지 못했는데 말이다. 이대로 밀어붙여도 충분히 해 볼 만할 거다. 신이 만든 물건이라도 한계는 존재할 테니까 말이야.』

……신이 만든 『동정을 죽이는 옷』의 힘을 뛰어넘으라는 거구나!

드래이그가 덧붙여 말했다.

『곧 있으면 닉스의 옷을 파괴할 수 있는 동료가 이곳에 오겠지. 하지만 그건 재미가 없어. 파트너는 자기 손으로 저 녀석을 쓰러뜨리고 싶잖아?』

당연하지! 내가 직접 밤의 여신을 쓰러뜨려서, 잉빌드를 구해 주고 싶어! 그녀 앞에서 이미 폼도 잡았다고!

『그렇다면 내가 한 가지 제안을 하지. 안 하는 것보다는 나을 거다.』

어떻게 하면 되는데?

．．．．．．．．．．．．．．．．．．．．．．．

……드래이그의 제안이 실제로 가능할지 생각해본 결과……

해 볼 가치는 충분히 있다는 생각이 들었다!

그렇다면 바로 시험해 볼까! 우선 준비를 해야겠는걸!

"리아스, 로스바이세 씨! 잠시 동안만 닉스를 맡아줘! 좀 시험
해 보고 싶은 게 있어!"

나는 리아스와 로스바이세 씨에게 닉스를 맡겼다.

"맡겨만 줘!"

"알았어요!"

로스바이세 씨의 방어와 결계술이라면, 쉽게 당하지는 않을
것이다.

나와 리아스(혹은 제노비아)의 합체기를 쓰는 것도 한 방법이
겠지만…….

갑옷을 장착한 나는 온몸의 보옥에서 여러 마리의 소형 와이
번을 출현시킬 수 있고, 그것을 갑옷으로 변형시켜서 리아스
(혹은 제노비아)에게 장착시킬 수 있다.

와이번의 갑옷은 내 갑옷과 비슷한 형태를 지니며, 장착자는
한정적이지만 적룡제의 힘을 사용할 수 있다.

리아스가 그 갑옷을 장착한다면 상당히 강화되지만……. 이
번에는 쓸 수 없다.

드래이그도 내 의견에 동의했다.

『닉스가 입은 옷은 파트너의 힘으로 갑옷을 걸치게 된 자에게
도 영향을 줄 수 있거든.』

그렇다. 리아스가 와이번의 갑옷을 장착한 바람에 일시적으로 내 첫 경험 문제가 그녀의 약점으로 작용할 수도 있는 것이다. 그리고 그것이 닉스와의 싸움에서 악영향으로 나타날까 걱정됐다.

그리고 리아스는 개스퍼와의 합체기도 함부로 쓸 수 없을 것이다. 개스퍼 또한…… 아마 나와 마찬가지일 테니까 말이다.

나와 개스퍼와의 합체기를 사용한 리아스는 신급 존재에게도 맞설 수 있을 만큼 강해지는데……!

한편, 개스퍼는 어둠의 짐승으로 변해서 악마들을 쓸어버리고 있었다.

또한 사방으로 펼친 자신의 어둠에서 수많은 마물들을 불러내더니, 악마들을 공격하라는 지시를 내렸다. 압도적으로 공세를 펼치고 있었다.

회복을 담당하는 아시아도 이미 사역마로 계약 중인 5대 용왕 중 하나——『기간티스 드래곤』 파브니르를 소환했으니, 방어는 거의 완벽에 가깝다. ……그야 뭐, 아시아는 또 숭고한 희생을 치렀겠지만…….

다른 멤버도 천 명이 넘는 악마들을 상대하면서도 여유를 보이고 있었다. 하지만 장기전은 금물이다.

나는 바로 협력자—— 공중전을 펼치고 있던 아케노 씨를 불렀다.

"아케노 씨!!!"

"잇세 군, 무슨 일이죠?"

아케노 씨가 내 곁으로 왔다.

나는 아케노 씨에게 부탁했다.

"부탁이 있어요! ——전화기가 되어 주세요."

"——윽!"

아케노 씨는 내 말을 듣더니, 표정을 굳혔다.

"……그걸, 쓰려는 거죠?"

"예. 아케노 씨의 가슴 사이즈라면, 잉빌드에게도 닿을 거예요! 저의 유통신자(乳通信者)가 되어 주세요!"

아케노 씨는 내 부탁을 듣더니——.

"…………윽."

깜짝 놀랐다. ……저런 반응을 보이는 게 당연했다.

나는 아직 쓰지 않은 찌찌 기술이 있다. ——유어전화(乳語電話)『버스트폰』이다.

이것은 여성의 유방을 통해 멀리 떨어진 곳에 있는 여성과 대화할 수 있는 능력이다. 여성의 가슴을 전화기처럼 이용하는 것이다. 하지만 캐리어에 따라 통신 속도와 회선 상태가 달라진다.

가슴이 크면 클수록, 통화 상태가 양호——해지는 것 같았다! 그래서, 이 자리에 있는 동료 중에서 가장 가슴이 큰 아케노 씨에게 캐리어가 되어 달라고 부탁한 것이다.

한편, 아케노 씨는—— 울음을 터뜨렸다!

"아, 아케노 씨?! 죄, 죄송해요! 눈물을 흘릴 정도로 싫은 건가요?!"

하긴, 느닷없이 전화기가 되어달라는 부탁을 한 나는 정말 나쁜 애인이야! 좀 더 말을 고르는 편이 좋았을까…… 같은 생각을 하고 있을 때, 아케노 씨가 고개를 저었다.

"아뇨. 기뻐요. ……저도 리아스처럼 가슴으로 서방님에게 도움이 될 수 있는 거군요."

──윽.

아케노 씨는 자기 가슴이 내 전투에 도움이 된다는 사실이 기뻐서…….

나는 아케노 씨의 손을 움켜쥐면서 진지한 어조로 말했다!

"당연하잖아요! 아케노 씨…… 아니, 아케노도 나의 소중한 ── 장래의 아내니까요!"

내 말을 듣고 감격한 듯한 아케노 씨는 왈칵 울음을 터뜨리더니, 그와 동시에 결의에 찬 표정을 지었다.

"좋아요, 서방님! 하세요!"

아케노 씨가── 옷을 벗으며 가슴을 훤히 드러냈다! 끝내주게 커다란 가슴이 내 눈앞에서 출렁대며 모습을 드러냈다고!

나는 찌찌 기술의 힘을 끌어올리며 두 손의 갑옷을 해제한 후, 맨손으로 손가락을 꼼지락거렸다!

"간다, 버스트폰!!!"

나는 아케노 씨의 가슴을 두 손으로 움켜쥐더니, 그대로 주물렀다! 전장에서 이렇게 가슴을 주물거리니, 해선 안 되는 짓을 하는 듯한 느낌이 들어!

"……아앙."

아케노 씨가 관능적인 신음을 흘리는 가운데, 나는 손으로 끝
내주는 감촉을 느끼며—— 통화 상대에게 말을 건넸다.

내가 말을 건넨 상대는 바로——.

"……여보세요, 여보세요. 잉빌드, 들려?"

효도 가에 펼쳐진 결계 안에서 기다리고 있을 잉빌드였다.

잠시 후, 아케노 씨의 가슴에서 목소리가 흘러나왔다.

『……잇세?』

오오, 잉빌드다! 일본에 있는 그녀에게 목소리가 닿았어!

"잉빌드…… 너의 진심이 담긴 노래를 나에게…… 우리에게
들려주지 않겠어? 드래곤을 지배하는 네 능력이란, 따지자면
드래곤에게 영향을 끼친다는 거야. ——힘을 약화시키는 것과
정반대되는 일도 충분히 가능할 거라고 생각해."

『——아.』

그것은 드래이그의 제안이었다. 약화시킬 수 있다면, 그 반대
도 가능하리라. 지배란 결국 그런 것이 아닐까? ——하고, 드
래이그가 말했던 것이다.

그녀의 힘은 신규 롱기누스로서 아직 조사 중이다. 그러니, 그
럴 가능성은 충분히 존재했다.

잉빌드는——.

『…………』

망설이고 있는 것 같았다. 자신의 노래가 우리를 약하게 만들
가능성을 고려하고 있는 걸지도 모른다.

하지만 공원과 바다에서 들었던 그녀의 노래는 정말 멋지고

아름다웠다. 세뇌 상태가 아니라, 자신의 의지에 따라 마음껏 롱기누스의 힘을 펼친다면——.

나는 다시 부탁했다.

"잉빌드! 노래해줘! 네가 마음속에 그린 노래를 말이야! 네가 마음으로 생각한 노래를 네 의지로 부르는 거야! 우리를 위해서! 그 노래를 듣는다면, 우리는 분명 닉스에게 이길 수 있어! 부탁해!"

나는 아케노 씨의 가슴을 통해, 진심으로 부탁했다!

그리고, 잉빌드는—— 결의했다.

『알았어. 나, 노래할게.』

나는 잉빌드의 노래를 아케노 씨의 가슴을 통해 듣게 될 거라고 생각했다.

하지만, 바로 그때—— 기적이 일어났다!

잉빌드의 아름다운 노랫소리가, 아케노 씨의 가슴만이 아니라, 이 전장 곳곳에서 들려왔다.

그날, 아침이 밝아오듯
이 세계에서 눈을 떴어.
고독한 나는 방황하고 방황한 끝에
드디어 너를 만난 거야.

너와의 만남은

무한한 꿈과 환상으로
내 세상을 물들였어.

　주위를 둘러보니—— 리아스, 아시아, 코네코, 로스바이세 씨, 레이벨, 에르멘힐데 등, 이 구릉에 있는 아군 여성의 가슴에서 잉빌드의 노랫소리가 흘러나왔다!
　——그녀들의 가슴이 스피커가 된 것이다!
　이런 상황에서, 잉빌드의 노래가 전장에 울려 퍼졌다.
　"여자들의 가슴에서 잉빌드의 노랫소리가 흘러나와!"
　——마치, 유음확성(乳音擴聲) 같다!
　나는 현상을 보며 감격했다. 그리고 코네코 쪽을 힐끔 쳐다보았다.
　으, 으음, 코네코는 빈유음확성(貧乳音擴聲)네…….
　바로 그때, 나와 시선이 마주친 코네코가 도끼눈으로 나를 노려보았다.
　"……이상한 생각을 하는 건 아니죠?"
　여전히 내 마음을 훤히 꿰뚫어 보네!
　그런 이야기를 나누는 와중에도, 잉빌드의 노랫소리가 울려 퍼졌다.

이 벅찬 가슴을 내밀면
너는 만족해 줄까?
용이 하늘을 춤추듯

나는 네 곁에서 춤추고 싶어.

붉은 갑옷은 피처럼 붉고
순백의 모든 것을 진홍색으로 물들여.
내 마음속은 어느새 붉은 색으로 물들었어.
더는 잠들고 싶지 않아.

이 노래, 가사는…… 잉빌드의 마음을 나타내고 있는 걸까?
그녀 자신의 의지로 부르는 노래——.
그리고, 잉빌드는 다음 가사를 읊조렸다.

그 날, 나를 부른 건
상처 입은 너였어.
처음에는 그저 우연이었을지라도
운명 같은 만남이네.

너와의 시작은
불타는 듯한 사랑과 애정으로
내 모든 것을 물들였어.

이 사랑에 빠진 가슴을 내밀면
분명 너는 강해질 거야.
악마가 소원을 들어주듯
나는 네 꿈을 보고 싶어.

검은 갑옷은 기적으로 되어 있어.
운명의 신도 분명 무섭지 않아.
내 가슴속은, 너로 가득 차 있어.
영원히 사라지지 않을 사랑이니까.

이 노래 내용은…… 리아스의 마음일까?

리아스도 눈치챈 것 같았다.

"……내 마음을 이야기하는 노래를…… 잉빌드가 부르고 있는 거야?"

그 순간── 리아스의 가슴이 빛나기 시작했다.

아니, 리아스뿐만 아니라 아시아, 아케노 씨, 코네코, 레이벨, 로스바이세 씨, 에르멘힐데의 가슴이 빛나기 시작했다.

먼 곳에서 빛의 기둥이 하늘로 샘솟았다. 저건…… 제노비아 와 이리나, 그리고 린트 양인가?

온갖 여성의 가슴에서 노래가 흘러나오며, 빛나고 있는 건가!

노래는 그 후에도 계속됐다.

이 벅찬 가슴을 내밀어
너를 안심시켜 주고 싶어.
용이 차원을 날아다니듯
평온한 나날을 살고 싶어.

무한한 소망은 진홍빛으로 빛나며
우리를 가득 채워 줘.
너의 가슴 속에, 누가 있든 상관없어.
언제 잠에서 깨어나도 내 곁에만 있어 준다면.

그 노래는—— 그녀 자신, 그리고 우리에 대한 노래였다.

그녀는 자기 자신만이 아니라, 타인의 마음도 노래로 표현할 수 있는 걸까……?

내가 그런 생각을 하고 있을 때였다.

『D∞DBoostD∞DBoostD∞DBoostD∞DBoostD∞ DBoostD∞DBoostD∞DBoostD∞DBoostD∞DBoostD∞ DBoostD∞DBoostD∞DBoost!!!!!!!』

내 보옥에서 한 번도 들어본 적 없는 새로운 음성이 터져 나왔다!

그와 동시에 내 몸에서 미지의 힘이 샘솟았다! 내 몸 깊은 곳에서 샘솟는 듯한 목소리였다!

연보라색 입자가 우리 주위에 나타나 나와 동료들을 감쌌다.

이것은 잉빌드가 공원에서 노래했을 때 생겼던 입자——.

"엄청나! 힘이 샘솟는 것 같아!"

리아스도 지금까지 한 번도 본 적이 없을 정도로 농밀한 아우라를 뿜고 있었으며, 그녀만이 아니라 이 전장에 있는 이들 전원에게서 같은 일이 벌어지고 있었다!

개스퍼도, 보버도, 연보라색 입자에 감싸여 막대한 아우라를 두르기 시작했다!

대단해——.

잉빌드의 노래는 드래곤뿐만 아니라, 다른 동료들에게도 이런 효과를 자아내고 있는 건가!

드래이그가 말했다.

『아마 용신화를 한 파트너의 힘을 통해, 드래곤만이 아니라 이 자리에 있는 동료들에게도 능력 향상효과가 작용한 거겠지. 크크큭, 파트너. 내 생각이 맞는 것 같구나. 그 여자애의 노래는 —— 정말 엄청나군.』

……내 『양도』를 이용한 건가? 저 노랫소리로, 이렇게……!

그리고, 이 미지의 힘이라면, 닉스에게——.

나는 닉스를 향해 고속으로 날아가며, 그대로 거리를 좁혔다! 닉스도 내 기척을 감지한 건지, 전투태세를 취했다!

나는 망상력을 최대한 끌어올리며, 손을 앞으로 내밀었다!

"유력파동(乳力波動)!!!!"

나는 한껏 끌어올린 찌찌 파워를 해방하며, 원거리에서 닉스에게 날렸다!

아까까지는 『동정을 죽이는 옷』에 내 공격이 전부 차단됐다! 하지만, 지금이라면——.

닉스는 버스트 파워 웨이브에 의해, 몸이 꽁꽁 묶이기라도 한 것처럼 미동조차 못하는 상태가 됐다.

닉스도 이 상황에서 경악했다.

『큭! 적룡제의 염력을…… 튕겨낼 수 없어!』

좋아! 먹혔어! 지금이라면 충분히 싸워 볼만 해!

나는 망상력을 최고조로 끌어올리며, 힘을 단숨에 해방했다!

"간다! 받아라! 갈가리 찢어져라!!! 『드레스 브레이크 D∞D』 !!"

찌직, 하는 덧없는 소리가 들리더니, 닉스가 입고 있던 귀여운 『동정을 죽이는 옷』이 갈가리 찢겼다!!

조각상처럼 아름다운 몸매가 훤히 드러났다!

여신님의 알몸을 본 나는 투구를 쓴 채 코피를 뿜었다!

알몸 구경 잘했습니다!

닉스는 자신이 자랑하던 옷이 찢어져 경악한 것 같았다.

『——앗! 「동정을 죽이는 옷」이?! 어째서!?』

"잉빌드의 노래로 증폭했거든!"

내가 그렇게 외치자, 여신은 놀란 듯한 목소리로 물었다.

『뭐, 뭘 증폭했는데?!』

"색골의 의지와 망상력이다아앗!"

나는 그럴 듯한 말을 외쳤다! 진실은 알 수 없다! 아마 아까 드 래이그가 말한 것처럼 단순히 출력이 상승해서 상대의 옷이 지닌 효과를 상회했을 뿐이라는 생각도 들었다!

하지만 이 결과에 도달한 수 있었던 것은 내 색골 근성 덕분이라고! 색골의 의지와 망상력을 얕보지 말란 말이야!

"노래가 들렸어!"

"응! 깜짝 놀랐다니깐!"

바로 그때, 제노비아, 이리나, 키바, 린트 양…… 그리고 스트라다 예하와 조조가 이곳으로 와줬다.

장래의 내 아내들이 한 자리에 모였다! 마침 잘 됐어! 이번 일 관련으로 그녀들에게 해 주고 싶었던 말이 있거든!

나는 동료들과 닉스에게 들리도록, 큰 목소리로 외쳤다!

"닉스, 잘 들어! 아니, 장래의 내 아내들도 들어줘!!!"

나는 숨을 크게 들이마신 후, 목청껏 외쳤다!

"나는——아내들 전원과 함께 첫 경험을 하기로 마음먹었어! 너희 모두와 야한 짓을 할 거라고오오오오오오오오오오!!!"

그래! 한 명만이 아니야! 모두와 함께 첫 거사를 치를 거라고! 그게 하렘왕을 목표로 하는 남자의 긍지라고 생각하거든!

닉스는 내 선언을 듣더니 당혹스러워했다.

『……뭐?! 정말 저질스러운 선언이네!』

네가 어떤 반응을 보이든 나와는 상관없어! 나는 장래의 아내들에게 물었다.

"다들, 그래도 괜찮을까?!"

"""응!!!"""

다들 내 말에 동의해 줬다!

헤헷, 내 첫 경험은 정말 엄청나겠는걸……. 각오를 단단히 해야겠어.

드래이그가 호쾌하게 웃음을 터뜨렸다.

『크크크크큭! 아하하하하! 역시 내 파트너다! 천룡이다! 나와 마찬가지로 적룡제다!』

"뭐, 내 첫 경험은 어마어마할 것 같아. 그럼 이제 네 차례야, 드래이그으으으으으!!!"

그렇다. 어느새 내 오른팔 갑옷 토시의 카운트가 끝났다.

그것이 의미하는 바는——.

내가 걸친 갑옷에 달린 모든 보옥에서 새빨간 섬광이 뿜어져 나왔다.

그 섬광은 거대한 형태를 이루기 시작했다.

그리고, 공중에 나타난 것은—— 거대한 레드 드래곤이다!!

——『웰시 드래곤』 적룡제 드래이그인 것이다!

이것이 현재의 내 용신화가 지닌 강대한 능력 중 하나다. 바로 드래이그의 현현이다. 제한 시간이 있기는 하지만, 그래도 그 동안 부활한 드래이그와 함께 싸울 수 있다.

이 현상을 본 닉스가 환희에 떨면서 외쳤다.

『이, 이게 바로 드래이그 현현!!』

드래이그가 내 옆에 서더니, 닉스를 향해 당당하게 말했다.

『내 파트너만으로도 충분하겠지만, 지옥의 맹주들에게 보여 줘야 될 것 같거든. ——「붉은 용」을 적으로 돌리면, 어떻게 되는지를 말이다.』

동감이야. 우리에게 시비는 걸면 어떻게 되는지 똑똑히 알려 주자고! 내 아버지를 습격했을 때, 이미 경고를 했잖아!

나와 드래이그는 동시에 닉스를 향해 돌격했다!

상대는 『동정을 죽이는 옷』을 입고 있지 않다! 마음껏 공격할 수 있다고!

나는 드래곤샷을 날렸고, 드래이그는 주먹으로 훅을 날렸다.

우리의 공격을 무효화시키지 못한 닉스는 우리의 공격을 정통으로 맞고 그대로 튕겨나갔다.

『……큭! 어마어마한 파워야……!』

좋아! 단숨에 해치워버리자!

나는 드래이그에게, 내 파트너에게 말했다.

"드래이그! 기념비적인 한 방을 날려 주자고!"

『좋다! 축포를 쏘아 올리도록 할까!!』

나는 네 장의 날개에 달린 캐논으로 상대를 겨눴다. 등과 허리쪽으로 각각 두 개씩의 캐논이 전개되더니, 진홍빛과 칠흑빛을 띤 아우라가 캐논에 집중됐다.

두우우우우우…… 하는 소리를 내면서, 네 개의 포문에 막대한 아우라가 응축됐다!

『저걸…… 맞았다간, 그대로 끝장나겠네!』

닉스는 정통으로 맞으면 위험하다고 판단한 건지 그대로 도망치려 했지만——드래이그가 화염을 뿜어서 그녀의 자세를 무너뜨렸다.

바로 그때, 나는 캐논에 응축된 아우라를 해방했다!

"『≪D∞D!! D∞DD∞D!! D∞DD∞DD∞D!!!! D∞DD∞
DD∞DD∞DD∞DD∞D!!!!!! D∞DD∞DD∞DD∞DD∞DD
∞DD∞DD∞DD∞DD∞DD∞DD∞D!!!!!!!!≫』"

그 음성이 들려온 순간, 나는 외쳤다!

인피니티
"∞ 블래스터어어어어어어어어어어어어어어어어어엇!!!"

내 옆에 있던 드래이그 또한 복부를 크게 부풀리더니, 방대한
화염을 뿜었다!

『이거나 먹어라, 가짜 신!! 웰시 드래곤 플레어어어어어어어어!』

네 개의 캐논에서 발사된 어마어마한 아우라 포격, 그리고 드
래이그가 뿜은 엄청난 질량을 내포한 화염이 닉스에게 정통으
로 꽂혔다.

그 순간, 이 섬의 하늘—— 아니, 섬 주위마저 뒤덮을 정도의
대폭발이 일어났다!

나와 드래이그의 동시 공격은 이 일대의 하늘을 진홍색으로
물들였다.

나와 드래이그의 공격에 휩싸인 닉스는——.

『이, 이게, 적룡제——.』

공포에 질린 것 같으면서도, 왠지 만족한 듯한 반응을 보였다
——.

닉스는 우리의 동시 공격을 맞더니, 섬에 추락했다. 완전히 피
폐해진 그녀는 몸을 일으킬 수도 없는 것 같았다.

"웰시 드래곤 플레어는 대체 뭐야?"

나는 드래이그에게 물었다. 네가 느닷없이 기술 이름을 외치

니까, 깜짝 놀랐다고.

『크크큭, 파트너를 따라서 대충 기술명을 외쳐 봤을 뿐이다.』

어라라, 그랬구나. 뭐, 기술명을 외치면 기분이 좋긴 하지!

나와 드래이그는 닉스를 해치운 후, 주먹을 맞댔다.

"우리는!"

『최강이다!』

우리가 그러고 있을 때——.

리아스가 고함을 쳤다.

"너희 말이야! 닉스는 쓰러뜨렸지만, 아직 악마들이 남아 있
단 말이야!"

어이쿠, 두목이 쓰러졌는데도 계속 활동하는 건가. 지옥의
맹주들은 저 악마들에게 제대로 명령을 내리지도 않았나 보
네…….

나와 드래이그는 남아 있는 악마들을 해치우러 갔다——.

－○ ● ○－

닉스와 악마들을 쓰러뜨린 우리는 올림포스의 신—— 아폴론
씨에게 체포한 닉스를 넘겼다.

닉스가 어떤 처분을 받게 될지는 모르지만, 아마 봉인을 당하
게 될 거라고 마왕 바알제붑 님께서 말씀하셨다.

아무튼, 전투를 마치고 효도 가로 돌아간 우리는 잉빌드를 만
나러 갔다.

로스바이세 씨가 잉빌드에게 걸렸던 닉스의 세뇌를 살폈다.

그리고 로스바이세 씨는 안도의 한숨을 내쉬었다.

"……닉스 신의 술법은 풀렸어요. 이제 걱정하지 않아도 될 것 같군요."

"""와아!"""

우리는 그 말을 듣고 환성을 질렀다.

다행이야! 닉스와 싸운 보람이 있어!

닉스는 우리에게 고맙다고 말했다.

"다들, 고마워. 어떻게 보답하면 좋을지 모르겠네……."

다들 아까까지 그렇게 격렬한 싸움을 치렀으면서도, 환한 미소를 지으며 괜찮다고 말했다.

이제 다시 평온이 되돌아올 거라고 생각한 바로 그때였다.

갑자기 내 손 언저리에서 빛이 생겨나더니, 뭔가가 출현했다.

──내 『이블 피스』가 들어있는 케이스다.

상급 악마가 되면서 받은 이 케이스 안에는 아직 사용하지 않은 말이 들어 있었다.

이게 왜 멋대로 내 곁에 온 거지?

내가 의아해하면서 케이스를 열어보니── 장기말 중 하나가 진홍색 빛을 뿜고 있었다.

──『퀸』의 장기말이다.

"──윽. 『이블 피스』가……."

그 장기말에 호응하듯, 잉빌드의 몸도 진홍색 빛을 뿜기 시작했다. 장기말과 잉빌드가 뿜는 빛이 호응하고 있는 것 같았다.

리아스는 이 현상을 보고 말했다.

"네『이블 피스』가 자신에게 걸맞은 상대를 발견했다는 걸 알려주고 있는 거야."

——윽.

……맙소사. 이런 현상도 일어나는구나……. 내『퀸』——.

내가 쳐다보자, 잉빌드를 또한 나를 쳐다보았다.

리아스는 미소를 지으며 나에게 물었다.

"자, 이제 어쩔래? 상급 악마, 효도 잇세이. 나는 완전히 느낌에 따라 정했어. 그 결과, 최고의 권속을 얻게 됐지. 하지만 결정해야 할 사람은 바로 너야. 너 자신, 그리고 그녀 자신이야."

……느낌, 이라.

어쩌면 공원에서 만난 때부터 운명이 정해진 걸지도 모른다.

어쩌면, 거절을 당할지도 모르지만…….

그래도 나는 이 운명과 자신의 장기말을 믿어보기로 했다.

나는 잉빌드에게 말했다.

"잉빌드. 저기, 내 권속이 되지 않겠어? 만난 지 얼마 안 됐는데 이런 소리를 하는 것도 좀 이상하지만…… 내 장기말은 너에게 반응을 보이고 있고, 나 스스로도 너라면 괜찮을 것 같다는 생각이 들어. 리아스와 마찬가지로 어디까지나 그런 느낌이 든다는 거야."

잉빌드는 말주변 없는 나의 말에 귀를 기울였다.

"나, 네 곁에서라면 앞으로도 노래할 수 있는 거야?"

나는 미소를 지으며 대답했다.

"그래. 마음껏 불러도 돼. 또 이런 일이 벌어진다면 내가 도와줄게. 그러니까, 앞으로도 네 노래를 들려줬으면 해."

잉빌드는 내 말을 듣더니, 손을 내밀며 대답했다.

"——응. 너와, 잇세와 함께 이 시대를 살아보고 싶어."

내가 가지고 있던 『퀸』의 장기말이 잉빌드를 향해 날아갔다. 그리고 잉빌드가 받은 순간, 그 장기말은 가슴 속으로 빨려 들어갔다.

바로 그때, 잉빌드의 등에 악마의 날개가 생겨났다. 그것도 여덟 장이나 됐다.

리아스는 깜짝 놀라며 말했다.

"날개가 여덟 장이나……. 역시 전대 레비아탄의 자손이네."

날개가 생겨난 바람에 깜짝 놀란 듯한 잉빌드는 난처한 어조로 말했다.

"이걸 집어넣으려면, 어떻게 해야 해?"

그러고 보니 나도 처음으로 날개가 생겼을 때 어떻게 집어넣는지 몰라서 리아스에게 물어봤다.

나는 그런 잉빌드를 따뜻한 눈길로 바라보았다——.

New Life.

 닉스를 쓰러뜨린 후, 우리에게는 평온이 되돌아왔다.

 쿠오우 학원 오컬트 연구부 부실에 신구 멤버(졸업생인 리아스와 아케노도 와 줬다) 전원이 모인 가운데, 우리는 마왕 바알제붑 님으로부터 보고를 받았다.

 바알제붑 님은 통신용 마방진을 통해 이렇게 말씀하셨다.

『이번 건은 닉스가 독단적으로 벌인 일에 가까운 것 같다. 롱기누스에 강한 관심을 가지고 있던 닉스는 잉빌드에 대해 알게 된 후, 그녀의 힘을 이용하려고 한 거지. 하지만 닉스의 독단이었다고 해도, 이번 일을 통해 하데스 측을 추궁할 수 있게 됐다. 강제 조사로 릴리스 님을 비롯해 그들이 만든 악마에 대해 조사할 수 있도록 각 세력이 협력할 예정이지.』

 오오, 닉스의 독단행동 덕분에 하데스 측을 추궁할 수 있게 된 건가.

 뭐, 그렇게 많은 악마를 우리에게 보냈을 뿐만 아니라, 신규 롱기누스 소유자까지 유괴해서 이용하려고 했으니까 말이야.

 강제수사를 당하는 게 당연하다고.

 하지만 악마의 어머니인 릴리스를 순순히 넘겨줄 것 같지는 않은데…….

나는 바알제붑 님께 물었다.

"그럼 지옥의 맹주 세력을 와해할 수 있는 건가요?"

『가능하면 그러고 싶군. 하지만 자포자기한 그들이 비장의 카드—— 최후의 수단 같은 것을 동원한다면 성가신 일이 벌어질 가능성이 충분히 있지. 신중하게 그들의 힘을 줄여 나갈 생각이다. ……결전의 날이 머지않을지도 모르겠는걸.』

……그들이 가지고 있는 비장의 카드가 무엇인지 모르기 때문에, 지나치게 몰아붙일 수도 없는 건가. 이 세계에서도 각 세력 간의 정세는 복잡한걸.

바알제붑 님이 우리를 향해 말씀하셨다.

『그때는 「D×D」의 힘을 빌려야 하겠지. 각오만은 해 두도록.』

""""예!""""

우리는 마왕님의 말에 한목소리로 대답했다.

——바로 그때, 바알제붑 님이 잉빌드에 관해 말씀하셨다.

『그리고, 잉빌드가 걸린 병 말인데…… 올림포스의 신 중에서 잠을 관장하는 히프노스 신과 꿈을 관장하는 오네이로이 신이 협력을 제안했다.』

그거 고마운걸! 세이크리드 기어의 힘으로 깨어났다고는 하지만, 언제 그 병이 재발할지 모르잖아.

나, 이번 일로 악마 사이에서 유행하는 병에 관해 자세히 알아봐야겠다는 생각이 들었어.

사이라오그 씨 어머니만의 문제가 아니라는 생각이 들었다.

바알제붑 님은 덧붙여 말씀하셨다.

『그 둘은 닉스가 만들어낸 신이다. 아무래도 이번 일에 대해 나름 생각하는 바가 있어서 그런 제안을 한 것 같군. 나로서는 협력을 받는 편이 좋을 듯한데, 자네들—— 잉빌드는 어떻게 생각하지?』

그 점에 대해서는—— 본인에게 직접 물어보자.

우리는 이 부실의 소파에 앉아 있는 보라색 머리 소녀를 바라 보았다. 쿠오우 학원 고등부의 여학생용 교복을 입은 잉빌드 다.

그녀도 고등학교 2학년으로서 이 학교에 다니게 됐다. 효도 가에서도 살게 됐다. 뭐, 내 권속이니 가까운 곳에 있는 편이 좋을 테니까 말이야.

나는 오컬트 연구부에 들어온 지 얼마 안 된 그녀에게 물었다.

"잉빌드는 어떻게 하고 싶어?"

잉빌드는 대답했다.

"치료를 받겠어요."

나는 그녀의 대답을 들은 후, 바알제붑 님께 "잘 부탁드립니 다." 하고 말했다.

그건 그렇고, 닉스가 만든 신들이 그런 제안을 할 줄이야…….

그러고 보니, 내가 전에 쓰러뜨렸던 타나토스라는 최상급 그림 리퍼도 닉스가 만들어낸 존재라고 들었다.

왠지 지옥의 관계자와 인연이 생긴 것 같네……. 무서운걸.

앞으로도 경계해야겠어.

──바알제붑 님과의 통신이 끝났을 즈음, 리아스가 우리에게 말했다.

"오늘이 무슨 날인지는 다들 알고 있지? 이제 시간이 다 되었으니 가 보도록 할까?"

레이벨도 자리에 일어나며 말했다.

"예! 오늘은 레이팅 게임 국제대회의 본선 토너먼트 대진이 정해지는 날이죠!"

그렇다. 오늘이 바로 그 운명의 날이다──.

$$-\circ\bullet\circ-$$

내가 이끄는 『일성의 적룡제』 팀(나, 아시아, 제노비아, 이리나, 로스바이세 씨, 레이벨, 나키리, 에르멘힐데, 보버, 로이건 씨)의 멤버가 모였다. 그리고 용의 가면을 쓴 나와 같은 또래 소녀── 비나 레스잔 씨도 합류했다. 우리 팀의 주력 선수다.

또한, 최근 내 권속이 된 잉빌드도 데려왔다.

리아스가 이끄는 『리아스 그레모리』 팀(리아스, 아케노 씨, 코네코, 키바, 개스퍼, 린트 양, 스트라다 예하)도 모였으며, 붉은 눈동자를 지닌 미녀── 발레리 체페슈도 합류했다.

그녀는 하프 뱀파이어인 개스퍼의 소꿉친구이며, 롱기누스인 『세피로트 그랄』을 지녔다. 그녀도 리아스 팀에 있다.

그리고 금색과 검은색이 뒤섞인 머리카락과 금색을 띤 오른쪽 눈동자와 검은색을 띤 왼쪽 눈동자를 지닌 장신의 남성이 리아스의 팀에 속해 있었다. 검은색 코트를 걸친 그 남성은 인간 형태를 하고 있지만, 사실은 전설의 사룡인 크로우 크루아흐다. 리아스네 팀의 최강자로 여겨지는 드래곤이다.

이 두 팀은 본선 토너먼트 대진이 정해지는 행사장—— 공중 도시 아그리아스에 와있었다.

하늘에 떠있는 이 거대한 도시는 명계의 대공 아가레스 령에 있으며, 레이팅 게임의 성지다. 나도 이곳에서 레이팅 게임을 치른 적이 있다.

토너먼트의 대진이 결정될 행사장은 아그리아스에 있는 고급 고층 호텔의 거대 홀이다.

그곳에는 본선에 진출한 총 열여섯 팀의 멤버들이 모여 있다.

그들은 이미 날카로운 위압감을 교환하고 있으며, 대진이 정해지기 전부터 다들 임전 태세를 취하고 있었다.

아는 이들도 보였다.

천룡으로서의 내 라이벌—— 은발 미남, 발리 루시퍼도 자신의 팀 멤버들과 함께 이 행사장에 와있었다.

발리는 나와 마주치자마자 짤막하게 말을 건넸다.

"나와 붙기 전에 지지 말라고."

"걱정 마."

우리는 그 대화만으로 충분했다.

키가 크고 우람한 체격을 지닌 바알 가문 차기 당주 사이라오그 바알 씨도 이 행사장 한편에 있었다. 관계자들과 이야기를 나누고 있는 것 같아서, 여러모로 말을 걸기 힘든 분위기였다. 나중에 기회를 봐서 말을 걸어야겠다.

뭐, 1회전에서 사이라오그 씨의 팀과 싸우게 된다면 가벼운 마음으로 말을 걸지는 못하겠지만…….

이참에 레이팅 게임 국제대회에 대하 간략하게 설명하자면, 참가하는 팀의 구성에 매우 자유롭다. 일반적인 레이팅 게임처럼 권속들만 데리고 참가해도 되고, 권속이 아닌 멤버가 있어도 된다. 다른 세력, 다른 신화에 속한 이들이 팀을 꾸려도 되는 것이다.

온갖 세력의 참가자가 모여, 일찍이 없었던 규모로 치러진 것이 바로 이 국제대회였다.

곧 무대에 사회자가 나타나더니, 각 세력의 취재진으로부터 카메라 플래시 세례를 받으며 프로그램을 진행했다.

관계자 중 한 명인 아주카 바알제붑 님이 축사를 하신 후, 토너먼트 대진을 결정하기 위한 추첨 행사가 시작됐다.

호명된 팀의 대표——『킹』이 무대에 올라가서, 숫자가 적힌 구슬을 상자에서 뽑은 후, 그것을 남들에게 보이지 않도록 스태프에게 건네준다.

『다음, 「일성의 적룡제」 팀의 대표 분, 앞으로 나오십시오.』

호명된 나는 무대로 향했다. 일제히 터져 나온 플래시 때문에 약간 움츠러들었지만…… 상자에서 꺼낸 구슬을 스태프에게 건넸다.

…… '5' 였다.

지인들도 구슬을 뽑았으며, 곧 열여섯 팀 전체가 추첨을 마쳤다.

스태프가 작업을 위해 무대 뒤편으로 이동하고 10분이 흘렀다——. 그사이, 나는 기묘한 긴장감 때문에 가슴이 뛰었어.

곧 사회자가 무대로 올라오더니, 마이크를 향해 말했다.

『대진표가 완성됐습니다. 엄정한 방식으로 짜인 대진입니다. 그럼, 스크린을 주목해 주시죠. 토너먼트표가 표시됩니다!』

이곳에 있는 본선 진출 팀 멤버 전원의 시선, 그리고 취재진들의 카메라가 스크린을 향했다.

그리고, 그것이 발표되었다——.

아자젤컵 본선 토너먼트표

바쥬라
『킹』——제석천

제1시합

아수라
『킹』——마하발리

임페리얼 퍼퓨어
『킹』——사이라오그 바알

제2시합

슈팅스타
『킹』——슈팅스타

일성의 적룡제
『킹』——효도 잇세이

제3시합

리아스 그레모리
『킹』——리아스 그레모리

바벨 벨리알
『킹』——디하우저 벨리알

제4시합

**블랙 사탄 오브
다크니스 드래곤킹**
『킹』——제노

천제의 창
『킹』──조조

제5시합

흑(黑)
『킹』──수르트

왕들의 유희
『킹』──튀폰

제6시합

불사조
『킹』──루발 피닉스

슬래시 독
『킹』──이쿠세 토비오

제7시합

천계의 조커
『킹』──듈리오 제수알도

명성의 백룡황
『킹』──발리 루시퍼

제8시합

서유기
『킹』──투전승불(초대 손오공)

토너먼트표가 발표된 순간——.

"""오오오오오오오오오오오오오오오오오오오오오오오오!"""

행사장 전체가 커다란 환성에 휩싸였다.

나도 내 팀의 대진과, 동료의 대진을 확인했다!

………….

……이, 이렇게 된 거냐~!!!

나는 이 대진을 보면서 운명이라는 것을 실감했다! 긴장한 탓에 등을 타고 차가운 기운이 흘렀고, 나는 마른침을 삼킬 수밖에 없었다.

내 본선 첫 상대는—— 리아스의 팀이었다!

너무 갑작스럽잖아! 어떻게 이런 일이 있을 수 있냐……!

언제나 용감하던 제노비아도 경악을 금치 못했다.

"첫 상대인 거야?!"

아케노 씨는 어머나, 하고 탄성을 흘리며 말을 이었다.

"정말 놀라운 일이 벌어졌군요."

로스바이세 씨도 한숨을 내쉬웠다.

"대회니까, 이런 일이 벌어질 수도 있는 거겠죠."

린트 양은 평소와 다름없는 어조로…….

"이야~ 큰일 났네요~."

……하고 중얼거렸다.

리아스는 눈을 감더니, 깊이 들이마신 숨을 내쉬었다. 그리고, 딱 한마디만 입에 담았다.

"……운명, 일지도 몰라."

나도 리아스의 옆에 서서 고개를 끄덕였다.

"응. 나도 그렇게 느꼈어. ──본선 첫 경기에서, 리아스 일행과 싸울 운명이었을 거라고 말이야."

키바가── 둘도 없는 친구가, 내 앞에 섰다.

그 녀석의 얼굴은 전의로 가득 차 있었다. 나를 쓰러뜨려야만 하는 라이벌로 여기고 있는 것이다.

"잇세 군, 이렇게 됐으니 너는 내 적이야. 나는── 리아스 누나의『나이트』거든."

말 한번 잘했어, 친구……!!! 마음속 깊은 곳에서 끓어오른 말을 그대로 뱉은 거냐……!!

나도 키바를 똑바로 쳐다보며 말했다.

"알아. 나도 전력을 다해 너를 깨부숴 주겠어."

──바로 그때, 제노비아가 끼어들었다.

"그런 소리는 잇세의『나이트』인 나를 쓰러뜨린 다음에 해, 키바."

"아, 그랬지. 맞아. 우리 모두『나이트』로서, 주인의 검이 되자."

두 사람은 서로를 노려보았다. 키바와 제노비아는 타천사 간부 코카비엘이 쿠오우쵸를 습격했을 때부터 인연이 있었다. 그런데 이렇게 됐으니, 두 사람 다 불타오르는 게 당연했다.

나와 드래이그에게 어마어마한 위압감을 뿜는 자가 있었다.

──검은색 코트를 걸친 장신의 남성, 크로우 크루아흐였다.

폭력적인 아우라를 유감없이 뿜고 있는 그의 표정은 환희로 일그러져 있었다.

"적룡제…… 효도 잇세이, 그리고 드래이그여. ——결판을 내자. 우리는 드래곤으로서 더욱 높은 경지를 추구해야 한다. 나는 드래이그가 부활한 그날부터, 이때를 위해, 너희를 해치우기 위해, 새로운 수련을 시작했지."

——윽.

……지금까지 모습을 보이지 않았던 이유가 그거냐! 젠장, 정말 무시무시한 전투광이라니깐!

드래이그가 크로우 크루아흐에게 들리도록 말했다.

『너는 이미 나보다 강하지만…… 뭐, 문제될 건 없지. 싸우다 보면 금세 너를 따라잡을 거다. 천룡을 얕보지 마라, 사룡이여.』

"나를 끓어오르게 하는 소리를 하는구나, 드래이그. 아아, 빨리 싸우고 싶군……."

『곧 그럴 수 있을 거다. 나도 기대하고 있지.』

리아스와 내 시선이 마주쳤다.

내 주인이자, 나의 애인. 연인이자, 사랑하는 사람. 그리고 장래의 내 아내.

하지만, 지금은—— 내 라이벌 중 한 명이다!

나는 리아스에게 선언했다.

"리아스. 나는—— 너를 쓰러뜨릴 거야. 대회에 참가했을 때부터 그러기로 약속했고, 나는 지금까지 너한테 그렇게 배우며 지금까지 이 자리까지 왔어."

리아스는 자신만만한 미소를 지었다.

"그러면 돼, 잇세. 나도── 너를 날려버리겠어!"

예상도 못했던 대진이 1회전부터 펼쳐지자, 대회의 열기가 우리를 감쌌다.

레이팅 게임 국제대회 『아자젤컵』은 이제부터 진정한 승부처에 돌입한다──.

작가 후기

　이 책의 최종 보스는 전생의 연인『궁극 여신 이터널 아마조네스』입니다. 필살기는『버서커 코브라트위스트』이며, 주인공의 필살『하이퍼 어비스 오브 아우라킥』과 사투를 펼친 끝에 양패구상을 하고 맙니다. 최종적으로 히로인과 주인공은 환생을 반복하며, 다음 시대에서 또 만나게 됩니다.
　하하하, 후기부터 읽는 독자 여러분에게 스포일러를 거하게 날려줬습니다!

　사실은 뻥입니다. 죄송해요. 그런 게 이 책에 나올 리가 없죠.

　처음 뵙는 분, 오래간만에 뵙는 분, 안녕하십니까. 이시부미 이치에이입니다.
　『진 하이스쿨 D×D』, 줄여서『진 D×D』는 어떠셨습니까?
　넉 달 만의 신간이라 긴장했습니다. 긴장한 바람에…… 아, 농담은 이쯤에서 끝내기로 할까요?
　자,『하이스쿨 D×D』1권 후기에서 한 짓을 10년 만에 해 봤습니다. 올해로 D×D 시리즈가 시작되고 10년을 맞이했습니다.

다시 소개드리자면, 이 『진 하이스쿨 D×D』는 본편 25권, 단편집 4권이 간행된 『하이스쿨 D×D』의 속편입니다. 여러 어른의 사정 때문에, 이렇게 1권으로 새롭게 스타트하게 됐습니다.

　이 1권부터 읽으시는 새로운 독자 분을 위해 작품 안에서 캐릭터, 설정, 세계관 등을 가볍게 설명해 뒀습니다. 또한 새로운 이야기도 전개됐습니다.

　이전 책을 읽지 않은 독자 여러분에게는 주인공이 처음부터 상급 악마이고, 애인이 잔뜩 있고, 적들을 상대로 먼치킨스러운 활약을 하는 것처럼 보이겠죠. 하지만 잇세 군도 수많은 고난을 경험한 끝에, 신을 쓰러뜨릴 수 있을 만큼 강해진 겁니다.

　그리고 새로운 권속—— 잉빌드 레비아탄도 동료가 됐습니다. 리스타트를 하게 된 만큼, 1권은 새로운 캐릭터를 주축으로 삼으며 전개하고 싶어서 그녀를 투입했습니다. 잇세에게는 가희가 없었기 때문에, 이번에 이렇게 등장시켰습니다. 새로운 동료도 좋아해 주셨으면 합니다. 가사는 제가 짠 겁니다. 진지한 가사를 쓰려니 왠지 얼굴이 화끈거리더군요…….

　자아, 이미 눈치챈 분도 계시겠지만, 이 진 D×D 1권은 기존의 1권의 내용과 비슷한 느낌으로 전개됐습니다. 이 책을 읽으면서 향수를 느끼신 분이 있을지도 모르겠군요. 기존 1권에서는 마방진으로 전이도 할 수 없을 만큼 약해빠졌던 잇세와 비교하면서 읽으면, 여러모로 대비되는 바가 있을 겁니다. 부디 즐겨주셨으면 합니다.

아, 맞다. 기존의 D×D 1권의 후기를 읽고, 대회 본선 진출 팀의 이름을 확인해 주십시오. 약간 놀라운 점이 있을지도 모르지만, 그들은 최종 보스가 아니니 주의해 주시길. 단순한 장난 요소입니다.

그리고 키류 말입니다만, 여러모로 생각하는 바가 있어서 마법을 익히게 했습니다.

그럼 선전을 시작하겠습니다!

사실 하이스쿨 D×D의 10주년 기념 메모리얼 팬북이 발매되게 되었습니다! 팬북에는 지금까지 활약한 중요 캐릭터의 소개를 비롯해, 다양한 내용이 실려 있습니다. 그리고 기념비적인 소설도 수록될 예정입니다. 드래곤매거진 등에 정보가 실릴 예정이니 잠시만 기다려 주시길.

그리고 중요한 전달 사항이 하나 더 있습니다. 올해 4월부터 방송된 애니메이션 신 시리즈 『하이스쿨 D×D HERO』의 Blu-ray디스크와 DVD 1권이 이 진 D×D 1권 발간 직후에 발매될 예정입니다. 그 패키지마다 특전소설로서 『하이스쿨 D×D 0(제로)』가 수록됩니다.

이 D×D 0는 예전에 후기에서 이야기했던, 서젝스와 그레이피아가 사귀던 이야기입니다. 좀처럼 쓸 기회가 없었습니다만, 드디어 쓰게 됐습니다. D×D 본편보다 수백 년 전에 벌어진, 철저항전을 주장하던 전대 마왕의 정부(그레이피아 등이 소속)와, 그것을 좋게 생각하지 않았던 반정부군(서젝스 등이 소속)

의 싸움도 다릅니다. 관심이 있으시다면 체크해 주시길!

자아, 애니메이션 신 시리즈 「HERO」도 이 책이 발간되었을 즈음에는 끝났을 겁니다. 하지만, 이 후기를 쓰던 시절에는 이야기의 후반부인 '학교 축제의 라이언 하트' 편의 도중이라 많은 이야기를 하지는 못합니다만…… 전반전인 '수학여행은 팬더모니엄' 편은 정말 멋졌습니다.

영상화가 된 교토 편—— 쿠노와 영웅파가 나와서 기뻤습니다만, 무엇보다 잇세의 『일리걸 무브 트리아이나』가 매우 멋져서 감동했습니다. 그건 정말 끝내줬죠……. 그 후, 본편에서 활약이 너무 적은 게 아쉬울 정도였습니다.

그리고 0화의 찌찌드래곤의 노래 부분도 진짜 최고였고, 1화에서 나온 잇세와 사이라오그의 모의전은 몇 번이나 다시 봤을 정도입니다.

그리고 원작에서 나중에 중요시되는 캐릭터도 애니메이션에 나왔죠. 이 책이 나왔을 즈음에는 하데스, 디하우저, 류디거, 제석천이 등장했을 겁니다. 지금 생각해 보니, 원작 9권과 10권은 이 작품의 종반에서도 활약할 캐릭터(조조와 초대 손오공도)가 속속 등장하는 전환기였다는 생각이 듭니다.

애니메이션 이야기만 너무 해서 죄송합니다……. HERO가 너무 끝내줘서 흥분했네요.

또 애니메이션 기획이 진행된다면 정말 기쁠 것 같습니다. 앞으로도 오랫동안 응원 부탁드립니다.

그럼 감사 인사를 드릴까 합니다. 미야마 제로 님, 진 D×D도 잘 부탁드립니다. 담당 편집자이신 T님, D×D 전반으로 항상 신세 많이 지고 있습니다.

다음 권인 진 하이스쿨 D×D 2권에서는! 이번 권 마지막 부분에서 언급했다시피, 잇세 팀 대 리아스 팀의 시합이 펼쳐질 겁니다! 느닷없이 메인 배틀에 돌입하는 군요. 사실 국제대회를 기획하면서 꼭 넣자고 생각했던 일전 중 하나가 바로 이것입니다. 잇세와 리아스의 시합을 꼭 그리고 싶었죠.

대회 시합은 기본적으로 잇세와 발리 이외에는 가볍게 다룰 예정입니다. 전부 집필을 했다간 분량이 어마어마할 테니까요. 하지만 중요한 시합을 다룰 생각입니다. 독자 여러분이 토너먼트표를 보며 이런저런 상상을 해 주신다면 정말 영광일 겁니다!

그리고 25권에서도 이야기를 드렸습니다만, 대회 시합→일상에서의 사건→대회 시합→일상에서의 사건…… 느낌의 로테이션으로 작품을 그려나갈 생각입니다. 매번 시합만 다루는 것도 힘드니, 이 1권 같은 사건을 사이에 끼울 생각입니다. 각 히로인's도 다루면서 말이죠!

현재 레이벨, 쿠노, 르페이, 에르멘힐데의 개별 에피소드를 다룰 예정입니다. 특히 제2회 교토편(쿠노 편)은 쓰고 싶군요. 코네코를 비롯한 현 2학년의 수학여행에 맞춰 전개할까 합니다.

그럼, 다음 편은 '그레모리 권속' 편입니다. 즉, 잇세와 리아스, 동료들 전체의 이야기죠. 새 시리즈 초반에 중요한 에피소드를 넣게 됐습니다만, 이런 건 아끼지 말고 팍팍 투입하는 편이 좋을 거라 생각합니다. 그럼 독자 여러분의 많은 성원을 앞으로도 부탁드립니다!

마지막으로 한 말씀 드리겠습니다. 이 작품이 10년 넘게 이어질 수 있었던 것은 팬 여러분의 응원 덕분입니다. 진심으로 감사드립니다. 정말 고맙습니다. 진 D×D와 하이스쿨 D×D Univers 시리즈에 앞으로도 많은 응원 부탁드립니다.

그럼 『진 하이스쿨 D×D』, 스타트합니다!

(※일본어판 출간 당시의 정보가 포함되어 있습니다.)

역자 후기

안녕하십니까. 근로청년 번역가 이승원입니다.

『진 하이스쿨 D×D』 1권을 구매해 주셔서 진심으로 감사드립니다.

이 작품은 작가님께서 후기하셨다시피, 『하이스쿨 D×D』 시리즈의 속편입니다.

본편 25권, 단편집 4권에서 이어지는 작품이며, 내용 또한 그대로 이어지고 있습니다.

지난 시리즈의 번역을 담당한 인연으로 저, 이승원이 계속 번역을 담당하게 되었습니다.

독자 여러분, 앞으로 잘 부탁드립니다!

이번 작품은 새로운 멤버인 잉빌드 레비아탄에게 초점을 맞추며 이야기가 전개되고 있습니다. 기존 시리즈의 1권을 읽으셨던 독자 여러분께서 데자뷰를 느낄 수 있는 느낌으로 이야기가 이어져 나가고 있으며, 1년 반이라는 시간 동안 성장한 잇세 일행이 그때와는 다른 면모를 보이며 사건을 해결하고 있습니다.

그리고 이 책을 통해 처음으로 『하이스쿨 D×D』를 접한 독자 여러분을 위해, 각 캐릭터와 설정에 대한 설명도 짤막하게나마 이뤄지고 있죠.

 그런 부분을 통해 독자 여러분께서 『하이스쿨 D×D』라는 세계에 빠져들 수 있기를 진심으로 빕니다.

 ……찌찌와 열혈로 점철되어 있는 『하이스쿨 D×D』라는 세계에 말입니다!

 그럼 이만 줄이겠습니다.

 항상 재미있는 작품을 맡겨 주시는 노블엔진 편집부 여러분께 감사드립니다. 새해에도 잘 부탁드립니다.

 설 전에 다 같이 얼굴 보자고 연락을 아무리 해도 집에서 안 나오는 악우들이여. 너희가 무슨 동면하는 곰이냐~. 내가 마감만 끝나고 나면 너희들 집에 가서 다 끌고 나올 거다~.

 마지막으로 제게 버팀목이 되어주시는 어머니와 『진 하이스쿨 D×D』를 읽어 주신 모든 분께 진심으로 감사드립니다.

 예비부부의 진심 부부싸움(ᵔᵕᵔ)이 펼쳐질 『진 하이스쿨 D×D』 2권 후기에서 다시 뵙겠습니다!

2019년 2월 초

역자 이승원 올림

진 하이스쿨 DXD 1 – 신학기의 웰시 드래곤 –

2019년 06월 25일 제1판 인쇄
2019년 07월 30일 제2쇄 발행

지음 이시부미 이치에이 | **일러스트** 미야마 제로 | **옮김** 이승원

펴낸이 임광순
제작 디자인팀장 오태철
편집부 황건수 · 신채윤 · 이병건 · 이홍재 · 김호민
디자인팀 한혜빈 · 김태원
국제팀 노석진 · 엄태진

펴낸곳 영상출판미디어(주)
등록번호 제 2002-000003호
주소 21311 인천광역시 부평구 평천로 132 (청천동)
전화 032-505-2973(代) | **FAX** 032-505-2982

ISBN 979-11-6466-182-4
ISBN 979-11-6466-181-7 (세트)

SHIN HIGH SCHOOL D X D Vol.1 SHINGAKKI NO WELSH · DRAGON
ⓒIchiei Ishibumi, Miyama-Zero 2018
First published in Japan in 2018 by KADOKAWA CORPORATION, Tokyo.
Korean translation rights arranged with KADOKAWA CORPORATION, Tokyo.

 노블엔진(NOVEL ENGINE)은 영상출판미디어(주)의 라이트노벨 및 관련서적 브랜드입니다.

이시부미 이치에이
관련작 리스트

◆

[소설]

하이스쿨 D×D 1~25(완)
하이스쿨 D×D DX. 1~4
진 하이스쿨 D×D 1

· 글 : 이시부미 이치에이 / 그림 : 미야마 제로

타천의 구신 -SLASHDØG- 1~2

· 글 : 이시부미 이치에이 / 그림 : 키쿠라게

[코믹스]

하이스쿨 D×D 1~10

· 만화 : 미시마 히로지 / 원작 : 이시부미 이치에이

[팬북]

하이스쿨 DXD 하렘킹 메모리얼

· 원작 : 이시부미 이치에이 / 그림 : 미야마 제로, 키쿠라게

NOVEL NE ENGINE

하이스쿨 DXD
하렘킹 메모리얼

◆

　엉큼하고 열혈한 고등학생, 효도 잇세이. 하렘 왕이 되고자 걸어온 에로에로하고 장절한 길을 철저하게 수록! 리아스와 아시아를 비롯한 히로인들이 잇세와 만나 활약하고, 잇세를 좋아하게 된 궤적을 소개하는 것은 물론, 작가 이시부미 이치에이와 일러스트레이터 미야마 제로, 키쿠라게의 메이킹 코멘트와 제작 풍경 등을 되돌아보는 슈퍼 볼륨 대담, 문고에 수록되지 않은 설정&일러스트 등, 처음으로 공개되는 정보도 다수 있습니다!

　추가로 잇세와 히로인들의 아이가 활약하는 「하이스쿨 DXD EX」도 완전 수록!

　히로인들과의 추억을 다시 되돌아보자!

이시부미 이치에이 지음 | 미야마 제로, 키쿠라게 일러스트 | 2019년 7월 출간
청춘의 상상, 시동을 걸어라!

하이스쿨 DXD 유니버스「SLASHDØG」제2탄!
칠흑의 개는 라비니아의 고통을 베어버린다!!

타천의 구신
~SLASH DØG~

2

하이스쿨 DXD Universe

최강의 개, 진과 함께 허물기관과 싸워서 소꿉친구 사이를 되찾은 토비오. 토비오와 동료들은 타천사들의 총독 아자젤에게 보호를 받아 타천사들의 학교『네피림』에 편입한다.

"토비, 저도 샤워할래요."
"미안해. 잠결에 이쿠세 군의 침대에 누웠어!"

라비니아, 나츠메와의 관계를 사에가 오해하지만, 토비오는 자신의 힘을 갈고닦으며 잃어버린 학창생활을 서서히 되찾아간다.
그때, '히메지마 스자쿠'라는 소녀가 전한 허물기관의 잔당과「오즈의 마법사」의 정보가 토비오와 진을 새로운 전장으로 이끄는데——.

 이시부미 이치에이 지음 | 키쿠라게 일러스트 | 2019년 7월 출간
청춘의 상상, 시동을 걸어라!

2019년 Tales# 노벨라이즈 프로젝트 1탄!
〈마법소녀X히어로 ~섬광천사 리토나 리리셰~〉 노벨라이즈!

섬광천사 리토라 리리셰 in Novel

평범한 소년 '천기신'은 정체불명의 괴인과 마주쳤다가, 마법소녀 '리토나 리리셰'의 도움을 받는다.

그녀를 자신의 식객으로 받아들인 천기신은 나름 행복한 일상을 보내지만……

어쩐지, 자신이 현실이 아닌 '마법소녀 이야기'의 일부에 있는 위화감에 휩싸인다.

그리고 본격적인 '현실'이 그 그림자를 드리우는데……

Another이자 After 이야기
원작에서 만나지 못했던
마법소녀와 히어로의 스토리 시동!

LawBeast 지음 │ kero 일러스트 │ 2019년 7월 출간
청춘의 상상, 시동을 걸어라!

어째서 내 세계를 아무도 기억하지 못하는가

3

~신들의 길~

◆

영웅 시드의 검과 무술을 계승하여 '진정한 세계를 되찾겠다'고 결의한 소년 카이는 누군가의 영향으로 표변한 만신족 영웅·주천 알프레이야를 격파. 이오 연방의 땅에 한때의 휴전을 가져다준다. 그리고 성령족이 지배하는 유룬 연방으로 가는 안내자로 엘프의 무녀 레이렌이 더해진 일행. 그러나 흉포해진 거대한 베히모스의 습격으로 사태는 급변하고, 그에 이끌리듯이 올비아 예언신의 사당에 도착한다.

"당신들에게 세계의 운명을 맡기고 싶습니다. 이 세계는 『거짓』입니다."

잔에게 구세주가 되라고 요구하는 예언신. 그러나 카이는 이 세계에서 있었던 일을 근거로 신의 말에 의문을 품는데——

사자네 케이 지음 | neco 일러스트 | 2019년 7월 출간

청춘의 상상, 시동을 걸어라!

아야사토 케이시 × 우카이 사키 콤비의 다크 판타지 제3탄
갈라진 길이 교차할 때, 잔혹한 세계의 진실이 모습을 드러낸다.

이세계 고문공주

4

14계급 악마와 계약자 토벌을 끝낸 엘리자베트에게, 『황제』의 계약자—— 인류의 적이 된 카이토를 죽이라는 명령이 내려진다.

한편, 도망 생활을 이어가던 카이토와 히나에게는 예기치 못한 내방자, 수인이 찾아온다. 누군가에게 동포를 학살당한 그들은 사건 해결을 위해 카이토에게 조력을 구하고 있었다. 카이토는 곧바로 수인 영역을 발문 참상을 확인하고, 악마의 소행임을 확신한다.

——하지만 열네 악마는 이미 전부 죽였을 텐데?

갈라진 둘의 길이 교차할 때,
잔혹한 세계의 진실이 모습을 드러낸다.

©Keishi Ayasato 2017
Illustration : Saki Ukai
KADOKAWA CORPORATION

아야사토 케이시 지음 | 우카이 사키 일러스트 | 2019년 7월 출간
청춘의 상상, 시동을 걸어라!

용왕이 하는 일!

9

야샤진 아이——겨우 열 살에 타이틀 도전권을 얻은 신데렐라는 부모님의 무덤 앞에서 맹세한다.

"아버님, 어머님. 반드시 여왕 타이틀을 손에 넣겠어요. ……우리의 꿈을 이룰게요."

하지만 그 앞을 막아선 자는 사상 최강의 여성 기사이자, 사부의 사저── 소라 긴코.

두 사람이 차지하려 하는 것은 여왕 타이틀인가, 그게 아니면……?

〈나니와의 백설공주〉와 〈코베의 신데렐라〉가 드디어 격돌!

신데렐라의 볼을 타고 흐르는 한 줄기 눈물을, 젊은 용왕의 비차가 닦아준다!!

시라토리 시로 지음 | **시라비** 일러스트 | **2019년 7월 출간**

청춘의 상상, 시동을 걸어라!

키즈나 아이 1st 사진집 AI

《 2019년 7월 출간 》